꿈의 세계
엘그프 3

꿈의 세계 엘그프3-2

지은이 P.S.Jun

발 행 2024년 7월 25일
펴낸이 한건희
펴낸곳 주식회사 부크크
출판사등록 2014.07.15.(제2014-16호)
주 소 서울특별시 금천구 가산디지털1로 119 SK트윈타워 A동 305호
전 화 1670-8316
이메일 info@bookk.co.kr

ISBN 979-11-410-9723-3

www.bookk.co.kr

꿈의 세계
엘그프 3

P.S.Jun

BOOKK✎

꿈의 세계 엘그프 3

전하고 싶은 말

'내가 좋아하는 것은 무엇일까?'
'나의 취미는 무엇인가?'
이런 질문을 받아 보셨을 거예요.
누군가에게 받았을 수도 있고 나에게서 받았을 수도 있어요.
그 질문에 답을 못 했던 적이 있나요?
그때는 어떠했고 어떤 생각이 들었는지 한번 떠올려 보세요.
그 질문에 답을 하지 못한 사람들 중에 우울해하거나 생각이 많아진 학생이 있을 거예요.

그래도 걱정하지 마세요. 질문에 답을 하지 못했더라도 문제는 없으니까요. 단지, 자신이 무엇을 좋아하는지 생각해 보고 무엇을 할지 생각해 보는 시간이라고 생각하시면 될 거 같아요.

내가 무엇을 좋아하고 어떤 일을 하고 싶은지 생각하다 보면 꿈을 더 쉽게 찾을 수 있으니까요.

가끔 성공한 사람 중에 그 길로 갈 생각이 없었다고 말을 하시는 분이 계시기도 하죠. 이런 말에는 겸손을 위한 것도 있을 수 있지만, 우연하게 이뤄진 경우도 있다고 생각해요.

내가 생각하지 않았었는데, 갑자기 뭔가를 하고 싶어서 했다거나 무언가가 떠올라서 그것에 몰입을 하다 보니, 이렇게 되었다는 거죠.

우리도 할 수 있어요.
꿈을 찾으러 가는 것도 있지만, 꿈이 찾아오는 경우도 있으니까요.

10
뜻밖의 사실

꿈의 세계 엘그프 3단계 방으로 온 드리머는 한동안 고개를 들지 못했다. 그의 주위로 온 아이들은 그가 슬퍼하는 모습을 지켜보다가 아인이 위로해 주려고 어깨에 손을 올렸고 류인태와 복태현은 가볍게 토닥였다.

드리머가 혼자 있을 수 있게 아인의 침대로 온 그들은 침대에 걸터앉았다.

"드리머가 많이 속상해하네."

드리머의 모습을 보는 아인이 안타까워하며 말했다.

류인태와 복태현도 아인과 같은 마음이어서 말을 잇지 않았다.

띠링. 류인태의 팔찌로 드리머의 부모님의 연락이 왔다.

"어? 지금 밖에서 기다리고 있다고 어디냐는 연락이 왔어." 류인태가 팔찌를 보면서 말했다. "나 잠깐 나갔다가 와야 할 것 같아." 그는 아인과 복태현의 끄덕임을 보고 밖으로 향했다.

"지금 안에서 뭘 하고 있는 거니? 아직 할 일이 남은 거니?"

어머니가 류인태에게 물었다.

류인태는 고개를 저었다. "아니요. 할 일은 딱히 없는데…" 그는 드리머의 상태를 차마 말할 수 없었다.

어머니는 류인태의 표정을 보고 그가 무슨 생각을 하는지 알

것 같았다. "드리머에게 뭔가가 있나 보구나." 그녀는 그의 손을 잡았다. "드리머는 놔두고 아인과 태현에게 나오라고 할 수 있겠니?"

류인태는 어머니의 웃는 모습을 보고 안심하며 안으로 들어갔다.

"드리머를 두고 나오라고 하는데?"

아인은 드리머를 혼자 두는 것이 마음에 걸려서 그를 계속 보며 대답을 망설였고 복태현은 밖으로 나가려고 침대에서 일어나서 옷을 정리했다.

복태현이 나가려고 해서 류인태가 같이 나가려다가 아인이 일어나지 않아서 물었다. "아인, 안 나갈 거니?" 그녀가 대답을 하지 않아서 그는 그녀를 강제로 일으켜서 데리고 갔다.

드리머가 고개를 숙이고 있어서 그들이 그곳에 있는지 무엇을 하는지 몰랐지만, 그것을 신경 쓰지는 않았다. '정말로 마션이 적어 준 대로 하면 괜찮을까?' 그는 마션이 준 종이를 보며 한숨만 푹푹 내쉬었다. "후우… 후우……"

아인과 복태현을 데리고 나온 류인태에게 어머니가 왔다.

"아인과 태현은 부모님과 가고 인태는 먼저 가서 저녁을 먹고 있으렴."

"먼저 가도 되나요? … 괜찮을까요?"

"그럼! 괜찮고말고. 인태는 나랑 같이 가자구나."

아버지가 류인태의 어깨에 손을 올리고서 미소를 지었다.

류인태는 어리벙벙한 상태가 되었다.

모두가 가고 어머니만 남은 엘그프 3단계 앞은 고요하고 조용했고 밖은 이미 저녁이 되어서 직원도 퇴근을 해야 했기에 드리머를 데리고 나왔다.

어머니는 아무 말도 하지 않으며 드리머를 안아 주었고 등을 토닥인 뒤에 그의 손을 잡았다. 그의 머릿속이 복잡하고 몸과 마

뜻밖의 사실

음이 힘들지만, 넘어지지 않도록 밑을 보면서 조심스럽게 갔다.

많은 사람이 돌아다니고 대화를 나누는 거리에서 드리머의 발걸음은 돌처럼 무겁고 딱딱하게만 느껴졌다.

"드리머." 어머니가 바닥을 보며 걷는 드리머에게 물었다. "오늘 뭐가 잘 안되었니?" 그녀는 그가 왜 그런지 눈치를 채고 있었다.

드리머가 고개를 끄덕이며 입술을 움직여서 어머니는 걸음을 멈추었다. 그녀가 갑자기 멈추어서 바닥을 보던 그의 시선이 자신도 모르게 그녀의 모습으로 향했다.

"안 되겠다! 우리, 잠깐 어디 좀 들렀다가 가야겠다."

어머니는 웃으면서 드리머의 손을 흔들었고 가려는 곳으로 향했다. 그는 어디로 가는지 말을 해 주지 않아서 어디로 가는 건지 궁금해하며 주위를 둘러보았다.

아인과 복태현과 헤어지는 곳으로 걸어가는데, 그곳이 낯설지가 않았다. '전에 여기로 온 적이 있었던 거 같은데?' 드리머는 익숙한 곳에 언제 왔었는지, 생각해 보았다. '최근에는 이 길로 간 적이 없는 거 같고… 전에 왔던 거 같은데, 언제였지?'

드리머가 고민을 하는 동안 놀이터에 도착했다.

"다 왔단다." 어머니는 드리머가 놀이터 전체를 볼 수 있는 곳에 멈추었고 잠시 동안 서서 그곳을 보았다.

놀이터에는 센터를 끝내고 같이 노는 아이들과 쉬는 곳에서 쉬는 사람들이 모여 있었다.

어머니는 드리머를 데리고 쉬는 곳으로 갔고 그가 앉을 때까지 그를 보다가 앉는 것을 보고서 놀이터를 구경했다. 그도 그녀가 말을 하지 않아서 그녀를 보다가 놀이터를 보았다.

'여기는 왜 온 걸까?'

"드리머, 여기에 오니까 기분이 좀 나아지지 않니? … 이 뻥 뚫린 공간을 보면 마음도 뚫리는 기분이랄까?"

뜻밖의 사실

어머니는 말을 하는 동안 드리머를 보지 않았다.

"네. 전에 이곳으로 놀러 왔었을 때, 저 기계로 갔었어요." 어머니의 질문에 드리머는 전에 복태현과 같이 놀았던 기억을 떠올렸다. "처음 갔을 때는 신기하면서도 즐거웠던 거 같아요."

"그랬구나. 그러면 드리머에게 이 장소는 즐겁고 좋은 곳이 아닐까?"

어머니가 드리머의 머리를 쓰다듬으면서 물었다.

드리머는 어머니의 물음에 맞는다면서 고개를 천천히 끄덕였고 아이들이 놀고 있는 놀이터를 보면서 바람을 쐬었다. 놀이터에서 노는 아이들의 표정을 보면서 마션의 시험을 볼 때의 표정이 떠올랐지만, 그때와 놀이터를 보고 있을 때의 기분은 달랐다.

'그건 아무것도 아니야. 어쩌면 앞으로도 그런 일을 겪게 될 수도 있을 거야.' 드리머의 마음이 진정되면서 그의 입가에 미소가 되돌아왔다. '이렇게 생각하면 또 괜찮은데, 막상 그럴 때는 이런 생각이 들지 않는 걸까?'

어머니는 드리머의 표정이 나아진 것 같아서 다행이라고 생각했다. "이제 가자." 그녀가 나긋하게 말하면서 자리에서 일어났다.

기분이 나아진 드리머도 자리에서 벌떡 일어난 뒤에 어머니의 손을 잡았다.

집에 있던 류인태는 집으로 돌아온 드리머의 모습을 먼저 확인했다. '드리머가 괜찮아 보이네.' 그는 드리머를 달랜 어머니에게 있는 능력이 대단한 것 같다고 생각했다. '정말 대단하다.'

아버지는 어머니와 일상적인 대화를 하면서 드리머에 대한 이야기는 하지 않았다. 그들이 그렇게 한 것은 근처에 있는 드리머가 자신에 대해 이야기를 하면 좋아하지 않을 것 같았기에 그런 것이었다.

드리머는 배가 고픈데, 부모님이 대화를 나누고 있어서 손부터

뜻밖의 사실

씻고 옷을 갈아입기로 했다. 그가 옷을 갈아입으려고 방으로 갔을 때는 류인태가 책을 읽고 있었다.

'오늘은 드리머에게 힘든 일이 있었으니까, 마션의 공연 영상을 보거나 공연 연습을 하지 않는 것이 좋겠다.' 류인태는 어색하게 드리머를 보았다. "왔어?"

"응!" 류인태가 걱정했던 것이 무색하게 드리머의 표정이 밝았다. "저녁은 먹었어?"

"응." 류인태는 평소와 다른 드리머의 모습에 당황스러웠다. "저녁은?"

"이제 먹으려고!"

드리머가 옷을 갈아입으면서 웃었고 다 갈아입고서 방에서 나갔다.

그 상황이 어색해서 얼떨떨한 류인태는 책을 든 상태로 문을 바라보았다.

드리머는 사뿐사뿐 계단을 내려가서 식탁 의자에 앉았고 밥을 먹지 못한 어머니도 밥을 먹어야 해서 그에게 줄 밥과 그녀가 먹을 밥을 가져왔다.

"어서 먹자! 시간이 많이 지나서 배고프지?"

어머니가 웃으면서 드리머에게 밥을 주었다.

드리머는 환한 미소를 유지하며 밥을 받았고 숟가락과 젓가락을 들었다. 그가 숟가락과 젓가락을 들 때, 시험이 생각나기도 했지만, 머릿속을 스쳐지나가듯이 짧게 지나갔다.

거실에서 텔레비전을 보던 아버지도 밥을 다 먹었지만, 부엌으로 와서 어머니와 드리머가 밥을 먹으며 대화를 하는 곳으로 갔다.

책을 읽던 류인태의 귀로 화기애애한 대화 소리가 들렸다. '분위기가 좋은 거 같은데?' 그는 그들이 어떤 대화를 나누는지 궁금해서 책을 내려놓고 문에다가 귀를 대었다. 그는 밖의 상황이

뜻밖의 사실

좋은 것 같아서 문을 서서히 열었다.

"드리머, 너무 긴장하지 않아도 되니까. 포기하지 말자."

"네! 다음 시험에는 통과할 수 있도록 해 볼게요."

드리머는 아버지의 응원에 힘이 났다.

밥을 다 먹고 대화를 나누던 어머니가 계단에서 고개를 내밀고 그들을 슬쩍 보고 있는 류인태에게 오라고 손짓해서 그는 애매한 웃음을 지으며 의자에 앉았다.

"인태야, 오면 되지. 왜 그러고 있었니? 후후."

"아. 가족끼리 대화를 하는 곳에 내가 있어도 되는 건가 싶어서요."

부모님은 류인태의 말에 웃음이 나왔다.

"하하하! 인태야… 네가 우리와 같이 살고 있으면 가족이라고 봐도 되지 않을까?"

어머니는 류인태가 그들과 다른 것 같다는 것에 눈치를 보지 않았으면 좋겠어서 그의 등을 토닥였다.

류인태는 어머니의 말과 행동이 마음을 울려서 눈물이 나올 것 같았지만, 너무나도 행복해서 눈물은 나오지 않았다.

정리를 마치고 잠을 자려고 준비한 드리머와 류인태는 각자의 이불 위에 앉아서 마션이 보내 준 시험에 대한 것을 함께 보았다. 그들은 아인과 복태현을 포함한 모든 공연에 대해 보면서 감탄하며 무엇을 잘했는지, 말해 보았다.

"인태. 네가 한 공연은 정말 멋졌어! 마션의 공연을 보는 것처럼 보였어."

"그래? 고마워! 모두 다 잘한 거 같아."

류인태의 말에 드리머는 머리를 긁적였다.

"나는 많이 부족했던걸."

"물론 시험 때는 그랬던 것 같아. 그런데 내 생각에는 실력 때문에 그런 것이 아니고 긴장해서 그런 것 같다고 생각해."

11

뜻밖의 사실

"그런 거 같아. 나는 긴장하면 잘 못하거든." 드리머는 긴장을 없앨 수 있는 방법에 대해 생각해 보았다. "내가 긴장하지 않을 수 있을까?"

"그걸 해결할 수 있는 방법이 있는데, 같이해 볼래?"

"정말?" 드리머는 긴장을 하지 않을 수 있다는 말에 눈이 번쩍였다.

류인태는 고개를 끄덕이고서 아인과 복태현에게도 연락을 해서 물어보았다.

드리머는 긴장을 하지 않을 수 있는 방법이 있다고 해서 두근거리면서도 긴장되었다. '내가 긴장을 하지만 않으면 정말 잘할 수 있을 거 같아.' 그는 긴장을 하지 않았을 때의 모습을 생각하며 주먹을 불끈 쥐었다.

아인과 복태현의 연락을 받은 류인태가 말했다.

"아인은 되는데, 태현은 안 되는 거 같아."

"아… 태현은 가게를 도와야 하니까, 그럴 수 있겠다."

"그러면 아인과 함께 같이해 보자!"

드리머와 류인태는 들뜬 마음으로 베개를 베었다.

아인이 와서 류인태는 그녀와 드리머를 불러서 계획을 말해 주었다. "이번 시험에서 드리머가 너무 긴장해서 제대로 못한 거 같아. 그래서 그 긴장을 줄여 보려고 밖에서 공연을 해 볼 거야. 괜찮지?" 그의 계획을 들은 아인과 드리머는 그들끼리 공연을 볼 때와 다른 사람이 볼 때의 느낌과 분위기가 다를 것이라고 생각해서 약간 망설여졌다.

드리머는 밖에서 공연을 했을 때 긴장해서 잘못한다면 도구에 대한 비밀을 들킬 뿐만 아니라 창피할 것 같았다. "그런데 만약에 거기서 잘못하면 비밀을 들킬 거 같은데, 괜찮아?"

류인태는 드리머의 긴장만 생각하고 다른 것에 대해 생각하지

뜻밖의 사실

않았었기에 드리머가 말한 것에 대해 생각을 해야 했다.

"그러네. 그 생각을 못 했었어. 그러면 바로 밖으로 나가는 것은 하지 말고 집 안에서부터 하는 게 좋겠다."

"그래도 너희는 시험에 통과해서 부럽다."

드리머가 손가락으로 바닥을 쓸면서 말했다.

아인은 드리머의 말을 듣고 웃음이 나왔다.

"우리도 통과는 못 했어."

"응?" 드리머는 그들이 통과를 못 했다는 것에 의아했다.

드리머가 믿지 못하는 것 같아서 류인태도 웃으면서 말했다.

"우리도 통과하지 못했어. 네가 믿을지는 모르겠지만…"

드리머는 그들이 통과를 하지 않았는데도 밝은 표정으로 있어서 그들의 말을 믿어야 하는지 말아야 하는지 고민이 되었다.

류인태는 아인이 메고 온 가방을 보았다.

"도구들은 다 가지고 온 거지?"

"응. 우선 도구는 다 챙겨 왔어."

아인이 가방을 열어서 보여 주었고 류인태는 그것에 고개를 끄덕이며 도구들을 챙기기 시작했다.

드리머도 어디서 하는지는 정하지 않았지만, 도구들을 챙겼다.

드리머와 류인태가 도구들을 다 챙겨서 한곳에 모였고 앉아서 기다리던 아인이 일어났다.

"우선 어디서 해 보는 게 좋을까?"

"우리가 밖으로 나가는 건 아닌 거 같으니까, 그곳 말고 가장 처음으로 할 곳을 생각해 봤는데…"

드리머와 아인이 두근거리는 마음과 긴장한 눈빛으로 류인태의 말을 기다렸다.

류인태가 검지를 들어서 한 바퀴를 돌리더니, 바닥을 가리켰다. 그들은 고개를 숙여서 그의 손가락이 가리키는 바닥을 보았다.

"1층?" 입술을 긁적이는 드리머가 물었다.

뜻밖의 사실

류인태는 고개를 저었다. "아니, 1층이 아니고 여기… 드리머의 방."

아인은 괜찮은 곳이라고 생각해서 고개를 끄덕였다.

"그거, 좋은 생각이다! 마션 없이 우리끼리 연습을 본 적이 없으니까, 괜찮은 방법인 거 같아. 그렇게 하면 실력이나 부족한 곳은 확실히 알 수 있겠다. 그런데 문제는…" 아인이 가방 안을 보며 말했다. "우리의 도구의 비밀이 알려질 거 같은데, 괜찮을까?"

"맞아. 사실 그게 있긴 한데, 드리머도 같이했으면 좋겠어서… 나는 괜찮은데, 아인… 네가 괜찮지 않다면, 옆에서 보기만 해 줘도 될 거 같아. 음… 드리머도 그렇고."

"나는 해야지! 어떻게 보면 나 때문에 하는 건데."

드리머는 고마움에 머리를 긁적였다.

도구를 만지면서 보던 아인은 환하게 웃으면서 고개를 끄덕였다. 그들이 모두 하기로 해서 순서를 정해야 하는데, 처음에는 저번처럼 해 보기로 했다.

"우선 내가 먼저 하고 그 다음에는 아인, 드리머가 하면 될 거 같아. 그러고 나서 순서를 바꿔 보자."

류인태가 그들이 공연을 할 수 있도록 설치를 하면서 말했다.

드리머와 아인은 류인태를 도와주면서 그의 말에 동의했다.

설치를 끝낸 그들은 바로 공연을 할 수 있도록 도구를 미리 정리해 놓았다.

류인태는 공연할 준비를 끝내서 드리머와 아인이 끝날 때까지 마션이 적어 주었던 종이를 확인했고 그들이 준비를 끝내자, 그는 공연을 시작하려고 음악을 틀었다.

음악 소리가 나오고 류인태는 차분하게 인사를 했다.

드리머와 아인은 박수를 짧고 간단하게 치고서 류인태가 공연을 할 수 있는 분위기를 조성하며 집중했다.

류인태는 그때와 같은 공연을 했는데, 드리머와 아인이 놀란

뜻밖의 사실

것은 그때보다 더 괜찮아진 그의 모습 때문이었다.

"전보다 더 나아졌다!"

"맞아. 뭔가 더 자연스러워진 거 같아."

드리머와 아인은 류인태의 공연을 편안하고 자세히 본 소감을 말했다.

공연을 끝낸 류인태는 도구를 정리하고서 그들에게 왔다.

"어땠어? 도구의 비밀은 안 보이지 않았어? 보였다면 더 노력해야겠지만."

드리머와 아인은 잘했다고 손짓했고 류인태는 뿌듯해하며 필기도구를 가져와서 마션이 준 종이에다가 줄을 그었다.

아인은 공연을 하려고 정리해 둔 도구들을 들었다.

"이제 내가 해야 되는 거잖아?"

드리머는 고개를 끄덕이며 도구를 다시 한번 확인했고 마션이 적어 준 것들을 참고하려고 종이를 꺼내서 확인했다. '공연을 하기 전에 마션이 적어 준 것을 보는 게 낫겠지?' 그는 차분하게 마션이 준 종이를 확인했다.

아인이 준비를 끝내서 종이를 보고 있는 드리머와 앉아서 기다리는 류인태에게 말했다. "이제 시작할게." 그녀는 그들의 시선을 확인한 후에 음악 같은 효과음을 틀었다.

'아인은 전에 틀지 않았던 효과음을 틀었네?'

드리머는 아인이 선택한 효과음이 그녀의 공연에 더 집중할 수 있게 해 주는 것 같았다.

아인의 공연이 마지막까지 왔다. 그녀는 전과 비슷하게 공연을 진행했고 실수를 하지 않았다.

드리머와 류인태는 아인의 공연에 박수를 쳤다.

"전보다 더 좋아진 거 같아."

"맞아. 효과음이 뭔가 집중을 하게 만드는 것 같아."

아인은 마션이 준 종이를 확인했다. "마션이 말해 준 것 중에 하나거든. 이렇게 하면 더 집중을 시킬 수 있을 거라고 말이야."
그녀는 마션이 준 종이와 도구들을 챙겨서 가방을 둔 곳으로 갔
다.

드리머는 아인이 도구를 정리하는 동안 도구를 설치했다. '긴장
하지 말자. 긴장만 안 하면 더 잘할 수 있을 거야.' 그는 속으로
혼잣말을 하며 차분함을 유지하려고 했다.

류인태는 드리머를 보고 있으면 긴장을 할까 봐, 마션의 종이
를 확인하며 공연을 다시 생각해 보았다. '이번에는 자연스럽게
된 것 같아. 물론 마션이 보는 눈은 또 다를 수 있어. 그래도 드
리머와 아인에게는 더 자연스럽게 보였으니까, 전보다 더 나아진
거겠지?' 그는 마션이 적어 준 것 중에 줄을 그은 것을 흐뭇해하
며 보았다.

드리머가 준비를 다해서 아인과 류인태를 보았고 그들은 공연
을 할 수 있게 하던 일을 멈추었다. 공연을 시작하려고 그가 도
구를 슬쩍 보았는데, 긴장이 되었다. '후우… 긴장하지 말자. 친구
들이 있을 때 연습을 해야지 실력이 많이 늘 거야.' 공연을 시작
하기 전에 그가 아인과 류인태를 보는데, 그의 눈동자가 떨렸다.

아인과 류인태는 드리머가 긴장하고 있다는 것을 느껴서 힘을
내라며 응원해 주었고 응원을 받은 그는 그들에게 믿음이 생겨서
실수를 하더라도 괜찮을 것 같다고 생각했고 이미 류인태는 많은
실수를 보았기에 덜 부담스러웠다.

드리머는 음악을 선정하지 않았기에 우선 공연을 해 보기로 했
다. 그가 음악 없이 공연을 하더라도 아인과 류인태는 뭐라고 하
지도 않고 웃으며 그의 공연을 보았고 그들의 미소에 그의 입가
에도 미소가 지어졌다. '잘해 보자!' 그는 마음속으로 생각을 한
뒤에 바로 공연을 시작했다.

드리머의 시작은 마션의 시험을 볼 때보다 괜찮았다. 그의 공
연을 두 번째로 보는 아인은 그가 확실히 긴장을 덜한다고 생각

했고 나아진 모습에 내심 뿌듯했다.

드리머의 공연이 끝나고 아인과 류인태는 박수를 치며 잘했다는 것을 알렸는데, 공연이 완벽하다기보다는 그가 긴장을 늦춘 것에 잘했다는 의미였다.

"드리머, 정말 잘했어! 전보다 훨씬 보기 좋다! 이대로라면 합격할 수 있을 거야."

"맞아! 나도 그렇게 생각해. 그러니까 더 힘을 내 보자!"

류인태는 아인의 말에 공감하며 드리머에게 긍정적인 말을 건넸고 턱을 쓰다듬으며 다음으로 어디서 하는 게 좋을지 생각했다. "다음에는 어디서 하는 게 좋을까? … 드리머만 괜찮다면 거실이나 집 마당에서 해도 될 것 같은데…" 그가 말을 끝내지 않고 드리머를 보며 어떤지 간접적으로 물었다.

드리머는 방금 했던 공연을 생각하면서 부족한 점에 대해 상의를 하고 싶었다. "아직 내 공연이 부족한 것 같아서 더 다듬어야 할 것 같아. 그래서 그런데 내 공연에 어떤 음악이 잘 어울릴까?" 그는 도구를 정리하면서 아인과 류인태를 보았다.

아인은 드리머의 공연 장면을 떠올려 보면서 어울릴 만한 음악이 어떤 것이 있을지 고민했다. "드리머가 하는 공연은 일상생활에서 하는 거니까, 어떤 음악이든지 다 괜찮을 거 같은데, 조금 차분한 음악으로 하는 게 좋지 않을까?" 그녀가 볼을 톡톡 치면서 물었다. "차분한 음악으로 하면 긴장도 덜 되지 않을까?"

드리머는 아인의 의견이 괜찮은 것 같아서 고개를 끄덕이며 참고하기 위해 목걸이에 적었고 류인태를 보며 의견을 기다렸다.

류인태는 드리머의 도구와 표정 등을 생각해 보며 공연 장면을 자세하게 떠올렸다. '드리머의 공연에는 밥을 먹는 장면과 공부를 하는 장면, 잠을 자는 장면이 있는데, 가장 어울릴 만한 음악이라면… 점점 차분해지는 음악이 괜찮을 것 같은데?' 그는 드리머의 고민을 바로 해결해 주고 싶어서 더 고민을 했다.

뜻밖의 사실

아인은 류인태가 답을 찾기 전에 컴퓨터를 작동시켰다.

"가장 좋은 것은 우리가 직접 음악을 듣고서 어울릴 만한 것을 찾는 게 아닐까?"

"그런가? 그러는 게 좋을 것 같아."

드리머는 아인의 옆으로 가서 음악을 들어 보았고 류인태도 떠오를 것 같으면서도 떠오르지 않는 음악을 생각하려 하면서 그들에게 갔다.

"생각날 것 같은 음악이 있는데, 그게 뭔지 정확히 기억이 나지 않아. 점점 차분해지는 음악인데."

"음… 점점 차분해지는 음악? 그러면 공연의 처음 부분에서 드리머가 더 긴장하지 않을까?"

"그럴 수는 있는데, 점점 차분해지는 것이 더 낫지 않을까? 처음부터 긴장을 하지 않으면 긴장할 가능성이 높은데 긴장을 이미 많이 했다면, 긴장을 늦추는 것만 남았으니까."

아인과 류인태의 의견이 약간 대립했지만, 음악을 선택하지 못했기에 누구의 의견이 좋은지는 몰랐고 대립이 되었다고 싸울 생각은 없었다.

"우선 음악을 들어 보자! 우리가 이렇게 말을 해도 공연에 맞지 않으면 안 되니까."

아직 감정이 올라가지 않은 아인과 류인태는 드리머의 말을 따르기로 했다.

아인이 음악을 하나씩 틀었다. 음악이 많은 것에 비해 그들이 원하는 음악은 많이 없어서 그들은 음악을 들을수록 아쉬웠고 드리머의 공연에 가장 어울릴 만한 음악을 따로 추려서 골라야 하나 고민했다.

"드리머의 공연에 어울릴 만한 음악들을 따로 골라 볼까?"

음악을 신중하게 듣는 류인태가 물었다.

"일단 다 들어 보고 정말로 없으면 그래야 할 것 같아."

뜻밖의 사실

"그래. 그렇게라도 음악을 찾는다면 다행이지."

드리머는 아직도 많이 남은 음악을 보고 그들을 이해했다.

그들은 드리머의 공연에 어울릴 만한 곡들을 각자 골라 보았다. 사람마다 좋아하거나 선호하는 음악이 달랐기에 그들이 고른 곡들이 완전히 똑같지는 않았지만, 똑같이 고른 한 가지의 음악이 있었다. 그들은 그 음악을 다시 들어 보며 드리머의 공연에 맞을지 상상해 보았다.

'이 음악은 드리머의 공연에 어울릴 거야.'

'드리머를 차분하게 해 주고 공연에도 어울릴 것 같아.'

'이 음악을 들으면 마음이 차분해지는 것 같아서 좋은 것 같아.'

아이들은 음악이 끝날 때까지 음악을 감상하면서 즐겼다.

음악이 끝나고 그들은 모두 밝은 표정으로 서로를 보았다.

"한번 이걸로 해 보는 건 어떠니?"

류인태가 정리해 둔 드리머의 도구를 보며 물었다.

드리머는 도구를 하나씩 보며 음악을 떠올렸고 아인은 그가 대답할 때까지 음악을 다시 틀어 보았다. 잔잔하게 시작되는 음악은 드리머의 방 안에서 흥겹게 퍼졌다.

드리머가 도구를 설치한 뒤에 음악을 들으며 어떻게 하는 게 좋을지 구상하는데, 음악과 어울리는 장면을 구상해야 하는 것이어서 도구로 어떤 공연을 할지 구상하는 것보다 더 자세하고 신중해야 했다.

드리머가 한 장면을 하면서 음악과 맞추어 보는데, 류인태가 옆에서 도와주었고 더 자세한 것들은 아인이 의견을 내면서 더 완벽한 공연을 만들려고 했다.

"드리머, 이제 반은 된 거 같지?" 류인태가 물었다. "나머지는 나중에 다시 해야 할 것 같은데? 아니면 아인을 보내고 저녁을 먹고 나서 더해 볼까?"

드리머가 노을이 진 것을 보며 고민했다. "우선 아인을 보내는 게 맞는 거 같아." 그가 공연을 음악과 맞추면서 궁금해진 것을 물었다. "공연의 끝부분과 음악의 끝부분이 안 맞으면 어떻게 해야 해?"

"음… 음악을 바꾸는 것은 상관없을 것 같은데, 시간이 조금 걸리겠지?"

"그런데 시간이 많이 걸릴까?"

아인이 오늘 한 것을 생각하며 물었다.

공연 시간은 어떤 음악을 할지에 따라 달랐기에 류인태가 확실한 대답을 해 줄 수가 없었다.

"그건 나도 확실하게는 모르겠어. 그때 가 봐야 얼마나 걸릴 지 알 수 있을 것 같아."

드리머는 고개를 끄덕이며 아인을 보내려 했다.

아인은 가져온 도구들을 챙기고서 집에서 나갔고 드리머네 가족과 류인태는 그녀를 배웅해 주었다.

배웅을 마친 어머니가 드리머와 류인태에게 물었다.

"오늘은 뭘 했나 보구나? 어떤 걸 했니?"

드리머가 뿌듯해하며 대답했다. "오늘은 꿈의 세계에서 해야 하는 공연을 더 보충했어요! 아직 내가 많이 부족해서요." 그는 자신의 부족함을 말하는 것이 쑥스러웠다.

부모님은 쑥스러워하는 드리머의 모습을 보고 웃었고 잘 해낼 것이라고 생각했다.

"인태도 공연 준비를 한 거니?"

"준비라기보다는 저번에 부족했던 점을 얼마나 잘했는지 확인해 보는 시간을 가졌어요!"

"그럼 아인도 연습을 했겠구나. 모두에게 뜻깊은 시간이 되었겠다." 어머니가 드리머와 류인태를 집으로 들이면서 말했다. "우리는 저녁을 먹자구나. 모두 손을 씻고 오렴."

드리머와 류인태는 손을 씻으러 화장실로 갔다.

뜻밖의 사실

"이제 곧 여름 시기인데, 다들 어떻게 할 거니?"

마션이 아이들에게 물었다.

아이들이 공연에 신경을 쓰다 보니 곧 여름 시기라는 것을 잊고 있었다.

'아직 완벽한 공연을 구상하지 못했는데, 벌써 여름 시기라니…' 드리머는 여름 시기가 다가온다는 것이 좋지만은 않았다. '여름 시기에 연습을 더할 수 있기는 한데, 친구들이 없을 거라서 혼자 해야 하니까, 여름 시기 전에 마무리를 지어야겠다.' 그는 아이들의 도움을 받을 수 있을 때, 최대한 마무리를 짓겠다고 다짐했다.

아인과 복태현, 류인태는 각자 여름 시기에 무엇을 할지 말하면서 여름 시기에 대해 이야기를 나누었다.

여름 시기까지 얼마 남지 않아서 드리머는 초조하게 시계를 확인했다. '오늘도 얼마 남지 않았어. 빨리 연습을 해 봐야겠다.' 초조한 눈빛으로 마션을 보는 그가 말했다. "나는 연습을 하러 가도 되나요?"

"그러렴. 연습을 하는 것은 나쁜 것이 아니니까."

드리머는 바로 연습을 하러 방으로 갔고 아인과 류인태는 함께 구상했던 것이 그에게 좋은 영향을 준 것 같아서 기분이 좋았다.

드리머는 아인과 류인태와 함께 고른 음악으로 어설펐던 부분을 연습했다. '아직 음악을 고른 지 별로 안 돼서 그런가? 아직 완벽하지 않은 거 같네.' 그는 연습을 끝내고 했던 것을 생각해 보며 부족한 부분들을 어떻게 할지 고민했다.

아인은 마션에게 공연에 대한 조언과 기술을 배우고 보여 주면서 어떤지 확인했다.

"심장 소리가 들리는 장면에서 음악 소리가 나와서 묻히는 것 같은데, 심장 소리를 더 크게 하는 게 좋을까요?"

"음… 심장 소리를 더 크게 들리게 하는 것보다는 음악 소리를

21

뜻밖의 사실

줄이거나 없애는 게 좋을 것 같네." 마션이 음악을 끄면서 말했다. "내가 하는 것은 어디까지나 조언이니, 네가 해 보고 맞는 것으로 하면 된단다."

"네. 그러면 한번 해 봐야겠어요."

아인은 웃으면서 도구를 가지고 방으로 갔다. 그녀가 방으로 간 것을 본 류인태가 마션에게 가서 배우기 시작했다.

마션은 자신이 할 수 있는 것 중에서 가장 간단한 기술인데도 열심히 했고 즐거워했다.

드리머는 연습을 하다가 안되는 장면을 누군가에게 물어보려고 문틈으로 고개를 내밀어서 밖을 보다가 아인과 류인태가 마션에게 가는 것을 보고 마션에게 물어보는 것을 고민했다. '마션에게 물어봐도 괜찮을까?' 그는 마션에게 처음으로 물어보는 것이어서 긴장되고 떨렸다.

마션에게 배우고 방에서 나오는 류인태를 본 드리머가 마션에게 가서 물어보려고 도구를 주섬주섬 집어서 방을 나가려는데, 방송이 들렸다.

"이제 점심시간이에요. 점심을 먹으러 오세요."

'점심을 먹고 물어보는 게 좋겠지?'

마션의 방송을 들은 드리머는 조용히 도구를 내려놓고 점심을 먹으러 갔다.

밥을 먹고 양치를 끝낸 드리머가 상쾌한 기분으로 도구를 들고 마션이 있는 방 앞으로 갔는데, 막상 갔더니 긴장돼서 두근거림이 멈추질 않았다. '마션한테 물어봐도 괜찮겠지? 혹시 안 좋게 보면 어떡하지? …' 그가 방 앞에서 이런저런 생각을 하는 것을 마션이 알아차렸다.

"무슨 일이니? 드리머."

뜻밖의 사실

순식간에 드리머의 뒤로 온 마션이 드리머에게 물었다.

"어! 그게…" 드리머는 들고 있는 도구를 보면서 망설였다. "마션… 혹시 나도…"

마션이 웃으면서 문을 활짝 열었다. "어서 오렴, 드리머. 기다리고 있었단다." 그는 드리머가 떨어서 바닥에 떨어진 도구를 주워 주었다.

처음이어서 긴장했던 드리머는 마션의 말에 긴장이 풀려서 안으로 걸어갔다.

마션은 처음 온 드리머에게 하나씩 알려 주었다.

"네가 하는 공연에는 책상이 있어야 하니까, 이걸 사용하면 되고 불편하면 저기에 있는 책상 중에 골라서 사용하면 된단다."

드리머는 가까이에 있는 책상 위에 도구를 살포시 올려 두고 다른 책상들은 어떤지 확인했다. '이건 조금 크긴 한데, 도구를 놓기에는 확실히 좋아. … 이건 조금 작아서 도구를 놓기에는 불편하겠는데, 간단한 장면을 할 때 좋을 것 같아.' 그는 책상들을 보면서 어떤 장면에 어떤 책상을 사용할지 선택했다.

선택을 마친 드리머는 마션에게 조언을 받으려고 책상 위에 도구들을 설치했다. "이제 어떻게 하면 될까요?" 그가 마션을 보며 물었다.

"설치를 마쳤으면 공연을 하면 된단다."

소파에 앉은 마션이 드리머를 보며 차근차근 설명했다.

드리머가 소파에 앉은 마션에게 연습한 것을 보여 주려고 했는데, 긴장이 되어서 숨을 크게 들이마시고 내쉬었다. '후우… 괜찮아. 할 수 있어.' 그는 긴장이 될 때마다 아인과 류인태의 앞에서 했던 연습을 생각하면서 긴장을 덜었다. '친구들이 본다고 생각하면 괜찮을 거 같아. 긴장이 되면 친구들을 떠올려 보자.'

드리머가 음악을 틀면서 공연을 시작했다.

꼰 다리 위로 손을 올린 마션은 아무것도 들지 않은 채로 드리머의 공연을 보았다. 드리머의 시작은 시험을 볼 때보다 더 자연스러웠고 그것을 본 그는 환한 미소를 지었다.

공연을 하는 드리머가 음악에 맞추는 것에 신경을 쓰느라 정신이 없었지만, 긴장하지 않고 실수를 하지 않았다. 그의 공연이 끝나고 마션은 고개를 끄덕이며 만족했다.

"드리머, 이번에는 네가 긴장하지 않아서 더 좋은 것 같구나. 잘했다."

드리머는 마션이 칭찬을 해서 기분이 좋았다.

앉아 있던 마션은 음악을 틀고 일어나서 드리머가 했던 공연을 했고 드리머는 공연하는 그를 구경했다.

'마션이 왜 내가 하는 공연을 하는 걸까? 혹시 나한테 알려 주려고 그러는 걸까?'

마션은 드리머에게 공연에 관한 조언이나 보충할 것을 말해 주지 않고 보내지도 않고서 일정 구간의 음악을 반복적으로 틀면서 같은 행동을 반복했다.

드리머는 마션을 기다리면서 어떻게 말을 걸어야 하는지 고민했다. "저…" 그가 말을 걸어서 공연에 빠져 있던 마션이 공연을 멈추었다.

"아. …" 마션이 드리머의 도구를 내려놓으면서 말했다. "그러고 보니, 내가 혼자서 하고 있었구나. 하하하!" 그는 음악을 끄고서 드리머에게 갔다. "네가 한 공연은 좋았는데, 음악과 맞추면 더 좋을 것 같아서 해 보았단다."

"아아…" 드리머는 마션의 말을 듣고 그가 왜 음악을 계속 틀면서 드리머의 공연을 따라 했는지 알았다.

"그래서 내가 해 봤는데, 한 번으로는 어떤 장면에 어떤 음악을 맞추어야 하는지는 모르겠구나." 마션은 턱을 쓸면서 드리머를 보았다. "혼자서는 부족할 것 같으니까, 같이 찾아보는 건 어떠니?"

드리머는 눈웃음을 지으며 고개를 끄덕였다.

뜻밖의 사실

마션은 드리머와 함께 소파에 앉아서 음악을 들으며 장면을 생각해 보았다.

"이 음악이 나올 때 이 장면을 하는데, 어떻게 하면 좋을지 생각해 보렴."

"전에 아인과 인태와 함께 생각해 보았는데요. 아직 내가 잘 맞추질 못한 것 같아요."

"그랬구나. 그러면 저번에 했던 것은 잊고 네가 혼자서 생각하면서 해 보는 게 좋을 것 같다." 마션이 기지개를 펴면서 말했다. "드리머, 네가 혼자 생각할 시간이 필요할 것 같구나. 여기에 앉아서 생각해 봐도 좋고 방에 가서 생각해 봐도 좋으니, 생각한 것을 다시 알려 주었으면 하구나."

드리머는 연습을 하는 마션의 뒷모습을 보다가 슬며시 음악을 틀었다. '전에 했던 것을 생각하지 않고 다시 한번 생각해 보라고 했는데, 내가 하면서 어떤 부분이 좋고 나쁜지를 알아야 할 것 같아.' 목걸이를 작동시킨 그는 연습을 하면서 느낀 것들을 적었다. '이 정도로 적고 방에 가서 생각해 봐야겠다.'

드리머가 도구를 가지고 가려는데, 마션이 도구를 사용하고 있어서 뒤에서 우물쭈물하게 있었다. 그의 도구로 공연을 하는 마션이 거울로 뻣뻣하게 서 있는 그를 보았다.

"네 도구를 사용하면서 이것저것을 해 봤는데, 괜찮은 공연을 만들 수 있을 것 같구나. 그러니, 한번 열심히 구상해 보렴."

마션은 드리머가 도구를 필요로 하는 것 같아서 도구를 주고 본인이 하려던 공연을 연습했다.

도구를 가지고 방으로 온 드리머는 바로 목걸이에 적은 것을 보며 음악을 틀고 마션이 했던 것처럼 반복해서 음악에 완전히 맞출 수 있게 해 보았다.

'어색했던 부분이라기보다는 음악에 잘 맞추지 못한 부분이니까, 이 부분을 더 연습하면 되겠지?'

25

뜻밖의 사실

드리머는 그 장면만 계속하면서 꿈의 세계에서의 시간을 보냈다.

집으로 가는 아인이 즐거워 보이는 드리머에게 물었다.

"오늘은 연습이 잘되었나 보네?"

드리머는 신이 나서 고개를 끄덕였다.

"맞아! 오늘은 어색했던 장면을 연습해서 괜찮게 맞춰 보았거든! 그래서 기분이 좋아."

류인태와 복태현은 드리머의 환한 모습을 보고 기분이 좋아졌다.

11
용기를 가지는 시간

"드리머, 여름 시기 동안 힘내서 잘해 보자!"

짐을 들고 집으로 갈 준비를 한 류인태가 드리머를 보며 말했다.

드리머는 류인태를 보내는 것이 아쉬웠지만, 그의 아쉬움이 처음보다 덜하거나 더한 것은 아니었고 다시 돌아온다는 것을 경험했었기에 참을 만했다.

이번에도 류인태가 가는 것을 드리머네 가족이 도와주었다.

"이제 집에 가서 그런지 좋아 보이는구나."

"네! 오랜만에 부모님과 만나서 그런지 좋아요."

류인태는 부모님을 만나는 것에 신이 나서 몸이 가벼웠고 그의 집으로 가는 드리머네 가족은 다시 느끼는 공기와 분위기가 반가웠다.

류인태의 집에 도착하고 짐이 많이 없어서 부모님은 밑에서 기다리고 드리머와 류인태만 집으로 올라갔다.

류인태의 집으로 들어가서 짐을 놓고 손을 흔들면서 밖으로 나간 드리머가 문을 닫기 전에 외쳤다.

"나중에 보자!"

"그래! 다음에 좋은 모습으로 보자!"

용기를 가지는 시간

류인태가 손을 흔드는 모습에 드리머는 문을 닫고 밑으로 내려갔다.

드리머를 본 부모님은 그의 표정이 나쁘지 않은 것을 보고 웃으면서 손을 잡았다.

"드리머, 우리도 이제 가야 하니까 준비를 하자구나."

어머니가 웃으면서 말해서 드리머는 고개를 끄덕였다.

'이번에는 어떤 것을 챙겨야 할까?' 드리머가 고민을 하면서 챙겨야 할 것 같은 것들을 꺼내서 가방에 넣어 보았다. '음… 가방이 큰 줄 알았는데, 아직도 많이 남았네.' 그는 꽉 찬 가방을 보고 다시 물건을 빼내었고 가방에 들어갈 수 있도록 다시 골라야 했다. '옷을 담아야 하니까, 내가 필요하거나 사용할 수 있는 물건을 넣는 게 나을 거 같아.' 그는 꺼낸 물건들을 하나씩 보았다. 물건 중에는 빛나는 종이별과 그가 만든 공연 도구들도 있었다. 도구를 본 그는 그것을 생각하면서 여름 시기 때 만나는 사람들 앞에서 연습을 하는 그의 모습을 상상해 보았다.

드리머가 상상을 하는 동안 어머니가 왔다. "드리머, 짐은 다 챙긴 거니?" 그가 짐을 챙기는 모습을 보는 그녀가 물었다.

드리머는 상상하는 동안 감았던 눈을 뜨고 어머니를 보았다.

"아직 챙기고 있어요. 너무 많이 담은 것 같아서 가져갈 것을 고르고 있었어요."

어머니는 드리머가 고민하는 모습을 보다가 옷장으로 가서 옷을 골랐다.

'우선 도구들은 챙겨서 여름 시기 동안 연습을 해야 해.'

고민하지 않고 도구들을 먼저 담은 드리머는 망가지지 않도록 충분한 공간에다가 놓았고 짐들을 보면서 우선순위를 매기고 있었다. 그가 고민을 하는 동안 어머니가 옷을 가지고 그에게 왔고 가방에다가 옷을 정리해서 넣었다.

용기를 가지는 시간

"이제 옷은 다 되었으니까, 남은 공간에다가 원하는 것을 넣으면 될 것 같구나."

어머니는 드리머가 잘 정리할 거라는 생각에 방에서 나갔고 그녀가 깔끔하게 정리한 옷에 그의 시선을 빼앗겼다. '정말 잘 정리했다.' 그는 깔끔하게 정돈된 옷에 감탄했고 잘 정리하고 싶어서 꼭 가져가야 할 도구들을 먼저 넣었다.

도구들을 넣은 가방의 공간이 조금밖에 남지 않아서 그가 가져가고 싶다고 고른 물건 중에 담을 수 있는 것은 없었고 넣어도 겨우겨우 들어갈 정도였다. 남은 공간에 들어가는 물건이라도 가져가고 싶은 그가 물건들을 하나씩 넣어 보아도 그것들은 들어가지 않았다. '우선 도구가 중요하니까, 더 넣지 않는 게 나을 것 같다.' 그는 짐을 다 싸서 가방을 닫고 방에서 나갔다.

부모님과 시간을 보내다가 온 드리머가 짐을 싼 가방을 보았는데, 가져가지 못하는 물건들이 눈에 아른거렸다. '하나라도 더 못 가져가는 걸까?' 그는 골랐던 물건들을 다시 가져왔고 닫혀 있는 가방을 다시 열어서 남은 공간에다가 넣으려고 했다. '이건 저기에 넣어질 것 같은데?' 그는 그가 고른 물건 중에 가장 작은 물건을 남은 공간에 넣으려고 시도했다.

이번에도 드리머가 열심히 넣어 보려고 했지만, 가방은 그것을 허락하지 않았고 그가 강제로 넣으려던 물건이 공연 도구를 건드려서 살짝 영향을 주었다. '어? 이러면 안 되는데…' 그는 다른 물건을 넣는 것은 그만두고 도구를 살펴보았다. '음…' 그가 무리하게 넣으려다가 책 겉면에 긁힌 자국이 생겨서 없애려고 문질러 보았지만, 긁힌 자국은 없어지지 않았다. '후…' 그는 긁힌 부분이 거슬리면서도 슬펐다.

아쉬움이 가득한 드리머는 침대 위로 올라갔고 벽에 기대며 누워서 바닥을 보았다. 류인태가 있던 바닥에는 아무것도 없는 횅한 바닥만 보였다. '인태는 잘 있겠지?' 그는 그리운 마음에 아이들에게 연락을 했다.

아이들은 모두 즐거워하는 모습을 영상으로 찍어서 보냈다. 아
인은 동생과 종이 놀이를 하는 모습을 찍었고 류인태는 마션이
공연에서 하던 것을 연습하는 모습을 찍었고 복태현은 산을 탐험
하는 모습을 보냈다.

'다들 즐거워 보이네.' 드리머는 아이들이 보낸 영상들을 보면서
웃었다. '나는 어떤 영상을 보내지?' 그도 그들에게 영상을 보내고
싶어서 어떤 영상을 보낼지 방 안을 둘러보았다. '방 안에는 찍을
만한 것이 없어 보이는데?' 그는 영상을 찍기 위해 마당으로 나
갔다.

마당에서 영상을 찍을 만한 것이라고는 흔들의자 그네였다.

'저기에 앉아 있으면 찍을 만한 것이 있겠지?' 드리머는 흔들의
자 그네에 앉아서 하늘을 구경하며 영상으로 찍을 만한 것을 찾
아보았다. '이렇게 하늘이 맑고 푸른데, 찍을 만한 것이 없을까?'
그는 흔들의자 그네에 앉아서 경치를 만끽했다. '음… 경치를 찍
어서 보내는 것도 좋을 것 같은데?' 그는 웃으면서 목걸이를 들
었다.

흔들의자 그네에 앉아서 목걸이로 경치를 담는 드리머는 상쾌
한 공기와 깔끔하고 아름다운 하늘, 기분이 좋아 보이는 새, 알맞
은 기온에 기분이 좋았고 마당에서 나오는 분수는 여름의 시원함
을 느끼게 했다. '분수가 정말 시원해 보인다.' 분수를 보는 그는
바닷가가 생각이 났다. '이번에도 바닷가로 가는 건가?' 그는 바다
만의 시원함과 평화로움을 느낄 생각에 설레었다.

"오늘은 어떻게 할 건가요?"

"오늘은 안에서 먹고 나갈 것 같아요. 점심은 같이하실 건가
요?"

"우리는 이미 먹었어요. 그래도 맛있는 음식을 해 줄게요."

용기를 가지는 시간

 여성 어르신이 웃으면서 밖으로 나갔다.
 부모님은 음식을 이미 먹었다는 말에 그들끼리만 먹을 양을 준비했고 드리머는 옆에서 도우면서 창문 밖으로 작게 보이는 바닷가를 감상했다.
 "여기에서도 바다가 보여요!"
 "그렇지? 이곳은 바다가 보이는 아주 좋은 곳이란다." 어머니가 창문으로 바닷가를 보면서 말했다. "바닷소리가 들리는데, 가끔씩 잘 안 들리기도 하지. 그럴 때는 눈을 감고 집중해서 소리를 들으면 소리가 들릴 거란다."
 드리머는 창문을 열지 않았지만, 혹시나 바닷소리가 들릴까 봐 귀를 기울였다. '바닷소리가 들릴 수도 있다고?' 그는 설레는 마음을 주체하지 못했다.
 음식을 하는 아버지는 눈을 감고 소리를 들으려는 드리머의 모습이 귀여웠다.
 똑. 똑. 중간에 있는 마당으로 나가는 문을 두드리는 소리가 나서 요리를 마치고 음식을 놓던 어머니가 갔다. "네!"
 문을 열었더니, 여성 어르신이 직접 만든 음식을 들고 있었다.
 "이거 한번 먹어 보라고 가져왔어요."
 "아, 감사합니다!"
 어머니는 웃으면서 여성 어르신이 건넨 음식을 들었고 여성 어르신은 그들이 밥을 먹을 수 있도록 집으로 돌아갔다.
 드리머는 맛있어 보이는 음식에 기대가 되었다.
 "이건 뭔가요?"
 "이건 사라에다가 양념을 넣은 것이란다."
 "사라요? 전에도 마션이 사라를 먹고 있었는데, 사라가 뭔가요?"
 드리머가 접시에 담긴 사라 음식을 보며 물었다.
 "사라는 과일이란다. 상큼한 맛과 물렁한 식감을 살린 음식이지." 어머니가 사라 음식을 식탁 위에 놓으며 말했다. "이제 점심을 먹어 볼까?"

드리머는 고개를 끄덕이고 숟가락을 들었다가 무의식적으로 공연 연습 때 하던 손짓을 할 뻔했다. '하하. 나도 모르게 공연 연습을 할 뻔했네.' 그의 행동은 그가 얼마나 연습을 했는지 보여 주었다.

밥을 먹고 설거지를 마칠 즈음에 어르신 부부가 그곳으로 왔다.

"아, 오셨어요!" 어머니가 어르신 부부를 반겼다.

짐을 다 챙긴 아버지와 드리머는 웃으면서 어르신 부부를 보며 바닷가로 가자고 손짓했다.

바닷가로 가면서 드리머는 화조란에게 연락이 왔는지 목걸이를 확인했다. '연락은 없는 거 같은데? 이번에는 오지 않은 건가?' 그는 많이는 아니더라도 가끔씩 연락을 한 그녀가 여름 시기가 되면 노느라 바쁘다고 한 것을 기억했다. '아니면 이미 놀고 있어서 바쁜 건가?' 그는 그녀에게 연락이 오기를 바라며 바닷가를 보았다.

바다는 매년 비슷했지만, 소리를 내며 펼쳐지는 파도와 고운 모래에 반짝이는 듯한 햇볕에 기분이 새로웠다.

부모님은 어르신 부부와 함께 가는 동안 대화를 나누며 지루함을 달랬고 드리머는 대화를 하지 않고 주변을 구경하며 지루함을 달랬다.

"오늘도 저기에다가 천막집을 설치할 건가요?"

드리머가 화로와 야외용 탁자가 있는 곳을 가리키며 물었다.

어머니가 고개를 저으며 대답했다.

"오늘은 점심을 먹고 와서 저곳에 설치를 하지 않고 모래에다가 설치를 할 거란다."

"아, 맞다. 우리가 점심을 먹고 온 것을 잊고 있었어요."

용기를 가지는 시간

드리머가 겸연쩍은 웃음을 지으며 머리를 긁적여서 어머니는 그의 머리를 쓰다듬어 주었다.

해변가에 도착한 그들은 천막집을 다 같이 설치했고 돗자리와 야외용 그늘막을 설치했다.

"드리머, 자유롭게 놀렴."

어머니가 바닷가에 올 때마다 취하는 자세로 누워서 눈을 감았고 드리머는 그녀의 모습을 보다가 바닷가를 보았다. '뭘 할 수 있을까?' 그는 바닷가에서 할 수 있는 것을 생각해 보았다. '수영하고 모래성 쌓기… 또 뭐가 있을까?' 그는 우선 바닷가로 가 보기로 했다.

파도가 끝나는 지점에 도착한 드리머는 가만히 서서 먼 곳을 보았다.

"드리머, 바다를 보고 있는 거니?"

돗자리에 앉아 있던 어머니가 다가오며 물었다.

드리머는 어머니를 보고 고개를 끄덕인 뒤에 다시 고요해 보이는 바다를 보았다.

바닷물이 울렁이는 파도는 일정해 보이지만, 미세하게 달랐고 해변가에 오는 바닷물의 길이도 달랐다.

"파도가 모두 달라서 바다가 다가오는 것처럼 느껴지는 게 너무 신기해요."

"후훗." 어머니는 드리머가 파도를 감상하는 시간을 방해하지 않기로 했다. '바닷가의 시원한 바람을 올해도 쐬고 있구나.' 바람을 쐬며 해변가에 서 있는 그녀의 아름다움은 영화의 한 장면을 보는 듯했다.

첨벙첨벙. 드리머는 옆에서 수영을 하는 사람을 보았다. '와아. 수영을 잘하는 거 같아.' 그가 수영하는 사람을 보며 속으로 감탄했지만, 시도할 생각은 들지 않았다.

어머니는 수영하는 것을 보고 있는 드리머의 모습에 수영을 할

용기를 가지는 시간

건지 얘기를 꺼낼까 고민하다가 직접 말을 할 때까지 기다리기로 했다.

해변가에서 바람을 쐬는 어머니와 드리머가 있는 곳으로 아버지가 와서 부모님은 천천히 바닷가로 들어갔고 드리머도 작년에 들어갔던 바다를 생각하며 들어갈까 고민했지만, 추울 것 같아서 들어가지 않고 모래로 모래성을 쌓기로 했다.

바다로 들어가던 어머니는 드리머가 모래성을 쌓는 것을 도와주며 함께 모래를 가지고 놀았고 바다에 들어갔던 아버지도 나와서 같이 모래성을 쌓았다. 그들과 같이 온 어르신 부부는 천막집 안에서 그들을 보며 흐뭇해했고 편하게 쉬었다.

드리머네 가족이 몇 분 동안 모래성을 쌓은 결과, 멋진 모래성이 만들어졌다.

"오! 정말 멋진 것 같아요."

드리머가 모래성을 보며 감탄했다.

부모님은 드리머가 감탄하는 모습에 뿌듯해하며 그와 함께 사진을 찍었다.

어르신 부부의 집으로 돌아온 드리머네 가족은 씻은 뒤에 옷을 갈아입고서 각자 쉬는 시간을 가졌다.

드리머는 가져온 도구로 연습을 해 보려고 꺼냈다. 그가 머무는 방이 마션이 준 방과 똑같지 않아서 어색했지만, 연습을 하는 것에는 무리가 없었다. '이곳에 거울이 없으니까, 자세랑 실수를 하는지 직접 보면서 해야겠다.' 그는 거울 대신 직접 보면서 고쳐야 할 것 같은 부분을 찾아내기로 했다.

드리머가 고쳐야 할 부분이라고 생각한 부분을 다시 해 보는데, 어떻게 고쳐야 할지 생각나지 않아서 류인태에게 조언을 구했다.

'인태, 지금 공연 연습을 하는데, 이곳에 거울이 없어서 내 어떤 것이 어색하고 어떻게 고쳐야 하는지 정확하게 알지 못하고 있어.

용기를 가지는 시간

이럴 때는 어떻게 하는 게 좋아?'

창가에 있는 의자에 앉아서 바닷소리를 듣는 드리머는 바다와 주변 경치를 감상하며 바람을 쐬었다. 바닷가에서 쐬던 바람에 비하면 약했지만, 기분을 좋게 하는 것에는 충분했다. '바람을 쐬면서 조용한 곳을 보니까 잠이 온다.' 창가에 팔을 올리고 턱을 팔에 올린 드리머는 눈을 깜빡이며 잠이 오는 것을 참았다.

"드리머…" 어머니가 드리머를 부르며 문을 살짝 열었는데, 그가 자고 있어서 조용히 문을 닫으려다가 창문으로 들어오는 바람을 느꼈다. 그녀는 그가 춥지는 않을까 하는 생각에 이불을 덮어주고서 밖으로 나갔다. '드리머가 깊은 잠에 들었구나.'

바람이 솔솔 부는 방 안에서 자고 있는 드리머의 목걸이로 류인태에게 연락이 와서 그의 눈이 떠졌다. '응?' 그는 눈을 제대로 뜨지 못한 채로 목걸이를 확인했다.

'그러면 부모님에게 보여 주는 건 어때?'

드리머는 류인태의 말을 상상해 보았다. '부모님에게 공연하는 모습을 보여 주라고?' 그는 상상만으로도 부끄러워서 얼굴이 붉어졌다. '그 방법 말고는 없을까?'

류인태의 말에 정신을 차린 드리머는 기지개를 펴며 지끈거리는 머리를 맑게 하려고 했다.

'그러면 목걸이로 찍어서 우리에게 보내 주는 건 어때? 이것 말고는 다른 방법이 떠오르지 않아서.'

드리머는 류인태가 제시한 새로운 방법이 가장 괜찮을 것 같았다.

'알겠어! 그러면 찍어서 보내 줄게.'

드리머는 류인태에게 연락을 보낸 뒤에 아인에게도 연락을 보냈고 그녀는 그의 말에 흔쾌히 동의했다.

'목걸이로 나를 찍으려면 어떻게 나오는지 확인을 하면서 해야 하니까 화면을 띄워야겠지?' 드리머는 연습하는 모습을 영상으로

용기를 가지는 시간

찍으려고 목걸이를 어디에 둘지 이곳저곳에 놓아 보았다. '아무래도 창가 쪽이 나은 것 같아.' 그는 창가에 두었던 의자에다가 목걸이를 걸어서 움직이지 않게 고정을 시켰고 연습하는 모습이 잘 보이는 위치를 찾아서 섰다. '여기가 괜찮겠지?' 그는 목걸이의 화면을 보면서 괜찮은 위치에 섰고 대략적으로 어디인지 확인한 뒤에 도구를 가지러 갔다.

도구를 가지고 온 드리머가 생각하지 못한 것이 있었는데, 도구를 놓아야 하는 책상이나 탁자를 설치하지 않은 것이었다. '맞다! 도구를 놓아야 하는 곳을 설치해야 하지?' 도구를 들고 있는 그는 도구를 놓았던 책상을 빤히 보았다. '저걸 여기에 옮겨도 보이려나?'

드리머는 책상까지 다 보일지 의문을 가진 채로 책상을 목걸이의 화면에 보이는 곳까지 옮겼고 도구를 설치하고서 영상을 찍으려고 목걸이를 실행시켰다. 그가 연습을 시작했는데, 영상이 잘 나오는지 확인을 하느라 정신이 하나도 없었다.

연습을 끝낸 드리머는 목걸이를 둔 의자 앞에 앉아서 영상을 확인했다. '음… 만약에 이걸 보냈다가는 분명히 주의를 받을 거야.' 그는 정신없이 화면을 쳐다보며 연습을 하는 자신의 모습을 보고 다시 찍어야겠다는 생각이 저절로 들었다.

드리머가 마음에 들 때까지 영상을 찍다 보니, 어느새 저녁이 되었다.

똑. 똑. 방문을 두드리는 소리에 화들짝 놀란 드리머는 연습을 멈추고 방문을 보았다. "네!"

"드리머, 저녁 먹어야 하는데, 자고 있었니?"

"아니요. 깨어 있었어요!"

드리머는 대답을 하면서 어머니가 문을 열지 못하도록 문을 잡고 문틈으로 그녀를 보았다.

어머니는 의자 위에 목걸이가 있는 것이 문틈으로 보여서 드리

용기를 가지는 시간

머가 무엇을 하는지 궁금했지만, 그것에 대해 묻지 않았다.

"그러면 저녁을 먹어야 하니까, 밑으로 내려오렴."

드리머는 고개를 끄덕이고 어머니가 가기를 바라는 마음으로 그녀의 눈을 보았다.

어머니는 드리머의 어색한 행동에 무언가를 숨기고 있다는 것을 알았지만, 밑으로 내려갔다.

드리머는 문을 천천히 닫고서 숨을 크게 내뱉었다. "휴우. 다행이다." 그는 목걸이에 찍힌 영상에 어머니의 목소리가 들어가서 지우고 다시 찍기로 하고서 밑으로 내려갔다.

"드리머, 내일은 전에 갔었던 해변으로 갈 거란다."

"오! 저번에 화조란과 만났던 곳인가요?"

"그렇단다. 그렇지만 이번에는 만나기 힘들 것 같구나."

어머니는 드리머가 기대하는 눈빛으로 물어봤는데, 그가 원하는 대답을 할 수 없어서 안타까웠다.

드리머는 화조란과 만날 수 있을까 하는 마음에 목걸이로 연락을 다시 해 보았다. '많이 바쁜가?' 그녀가 전에 보낸 연락에 답장을 하지 않아서 그는 아쉬운 마음으로 답장을 기다렸다.

답장을 받지 못한 드리머가 방으로 올라왔는데, 목걸이를 놓았던 의자에서 빛이 나는 듯했다. '아직 영상을 못 보냈네.' 그는 목걸이에서 찍은 영상들을 확인하며 그나마 괜찮은 영상을 찾아보았다. '음… 처음에 찍었던 것보다는 나중에 찍은 게 훨씬 낫긴 하다.'

드리머는 나중에 찍은 것일수록 더 좋아진다는 것을 보고 한 번 더 찍기로 했다.

'새로 찍는 게 나을 거야. 어차피 연습도 해야 하니까, 한 번 더 하고 쉬는 게 낫겠다.'

드리머는 목걸이의 화면을 보며 자리를 확인했고 연습하는 모습을 찍었다. '마지막이고 보내야 하니까, 더 신중하고 열심히 해

용기를 가지는 시간

보자!' 그는 아무도 없어도 긴장이 되었지만, 연습한다는 마음을 가졌더니 그 정도의 긴장은 아무렇지 않았다.

연습이 끝나고 드리머는 영상을 확인했다. '이 정도면 괜찮은 거 같은데?' 그는 마지막으로 촬영한 영상이 마음에 들어서 바로 류인태와 아인에게 보냈다. 그가 복태현에게 보내지 않고 고민하는 것은 그들이 서로 연습했다는 사실을 알지 못해서 그랬다. '태현하고도 같이 연습을 해 보면 좋을 텐데…' 그는 복태현에게 보내기 전에 먼저 물어보는 게 좋을 것 같아서 연락을 했다.

'드리머, 왜 이렇게 늦게 보낸 거니?'

드리머가 오랫동안 찍었다는 것을 예상했다는 듯한 아인의 답장이 왔다.

드리머는 연락을 보내면서도 쑥스러웠다.

'내가 여러 번 찍었는데, 마음에 드는 게 없었어.'

'그럴 줄 알았지. 하하! 시간을 들인 만큼 잘한 거 같은데?'

드리머는 아인의 칭찬에 뿌듯해하며 안심했다. '다행이다.' 그는 아인과 대화를 끝내고 영상을 다시 한번 보았다. '이번에 찍은 게 가장 좋았던 거 같아.'

'오! 많이 좋아지긴 했다. 전에 연습할 때도 정말 잘했었는데… 이제는 다른 사람들 앞에서 할 때 긴장하지 않는 것만 단련하면 되겠다.'

영상을 확인하던 드리머는 류인태의 응원에 기분이 좋았다. '전에도 연습할 때는 괜찮다고 했었는데, 다른 사람들 앞에만 서면 왜 그러는지…' 그는 다른 사람들 앞에서 공연을 할 때의 긴장감을 아직도 어떻게 풀어야 하는지 몰랐다.

류인태의 답장까지 받은 드리머는 복태현의 답장은 바로 오지 않을 것 같아서 베개를 베고 누웠다. '오늘은 괜찮게 마무리를 한 거 같아.' 그는 자기 전에 영상을 틀어서 보았다.

드리머의 뿌듯한 하루는 지나가고 바다 위에는 달과 별이 비쳤

용기를 가지는 시간

다.

"드리머, 준비는 다했니?"

어머니가 드리머의 방으로 올라오면서 물었다.

드리머는 문을 활짝 열고 웃으면서 고개를 끄덕였다.

마당으로 나간 드리머와 어머니는 간단하게 짐을 챙기고 미리 나가서 의자에 앉아 있는 아버지에게 가자며 환하게 웃었다.

그들이 가는 소리를 들은 어르신 부부가 나와서 그들에게 잘 갔다 오라며 배웅했다.

출발하기 직전에 드리머는 화조란에게서 온 연락은 없는지 확인했다. '조란에게 온 연락은 없는 건가?' 그녀에게서 연락이 안 와서 약간 서운했지만 그는 가족과 함께하고 있는 분위기를 망치고 싶지 않아서 숨겼다.

"어서 가자구나."

드리머가 감추려고 한 서운한 표정을 본 어머니가 그에게 말했다.

부모님과 함께 마실 것을 사고 바닷가에 자리를 잡은 드리머는 혹시나 하는 마음으로 주위를 둘러보며 화조란이 왔는지 확인했다. '오늘은 정말 안 왔나 보네.' 그는 그녀가 보이지 않아서 한숨을 내뱉고서 바다에서 노는 사람들을 보았다. '전에 같이 놀았었는데…' 그는 작년에 놀았던 기억을 떠올렸다.

어머니가 수영을 하는 사람을 가리켰다.

"드리머, 수영을 해 보는 건 어떠니?"

드리머는 화조란을 보며 물어보는 줄 알고 어머니가 가리킨 곳에 그녀가 있는지 상체를 움직이며 보았다.

어머니는 드리머가 화조란을 찾고 있다는 것을 알고 있었기에 수영을 하는 사람을 다시 가리키며 그에게 물었다. "화조란이 있다는 건 아니고, 수영을 하는 게 어떤지 물어본 거란다." 그녀는

용기를 가지는 시간

그가 실망할 것을 알아서 애써 미소를 지었다.

　드리머는 수영을 하고 싶지 않았지만, 바닷속에서 재미있게 놀고 있는 사람들을 보고 고민이 되었다. '무섭지는 않겠지?' 그는 예전부터 기억나는 물에 빠진 상황이 떠올라서 무서웠다. '왠지 이 기억이 물에 들어가지 말라는 듯이 말하는 것 같아.'

　부모님은 즐거운 해변에서 고민에 빠진 드리머에게 추억은 있어야 할 것 같다는 생각에 모래사장으로 데리고 가려 한 것인데, 드리머는 수영을 하자고 데리고 가는 것 같아서 심장이 두근댔다.

　'이왕 이렇게 된 거 수영을 해 볼까?'

　드리머가 수영을 해 보려고 마음먹으려고 하는데, 부모님은 모래사장에서 멈추었다.

　'어? 왜 여기서 멈추는 거지?'

　부모님이 자리에 앉아서 모래를 파서 드리머는 예상한 것이 틀렸다는 것에 멍한 표정으로 그들을 보며 손으로는 모래를 팠다.

　"드리머, 오늘은 어떤 걸 만들어 볼까?"

　"음… 간단한 집을 만들어 보고 싶어요."

　드리머는 모래사장으로 무언가를 만들 생각이 없었기에 간단하게 만들 수 있는 것으로 말했다.

　드리머의 말을 들은 부모님이 모래로 집을 만들기 시작했는데, 그들은 따로 말을 하지 않아도 서로 합을 맞춘 듯이 모래집을 만들었다.

　드리머는 무엇을 만들지 눈치를 보다가 부모님이 잘 만들고 있어서 꾸미는 것을 만들기로 했다. '내가 집을 만들기에는 너무 느리고 무엇을 만들지 어떻게 만들어야 하는지 모르니까, 꾸미는 걸 만드는 게 나을 거야. 그러면 우리 집 마당처럼 꾸며 볼까?' 그는 마당에 있는 것 중에 모래로 만들 수 있을 만한 것을 골라서 만들어 보았다.

　부모님이 집을 완성하고 드리머가 만든 것을 보았다.

용기를 가지는 시간

"드리머, 이건 분수대니?"

드리머는 어머니가 가리킨 것을 보고 고개를 끄덕였다.

어머니는 드리머가 만든 분수대가 어설펐지만, 부수거나 다시 만들 생각은 없었고 분수대처럼 물이 고일 수 있도록 조금만 손을 보았다.

드리머는 어머니가 분수대를 부수는 줄 알고 만들던 것을 멈추고 구경했다. '내가 만든 분수대가 별로였나?' 그는 잘 만들었다고 생각했던 분수대를 그녀가 부수는 것 같아서 마음이 쓰였다.

어머니는 분수대 내부 주위에 구멍을 내고 바다로 갔다.

드리머는 무엇을 하려고 주위에 구멍을 낸지 몰라서 머리를 긁적였고 그가 만들던 것을 보충해서 만들던 아버지가 손을 털고서 그의 머리에 묻은 모래를 털어 주었다.

머리에 모래가 묻은 줄도 몰랐던 드리머는 웃으면서 손가락에 묻은 모래를 털었다.

손에 물을 담아서 가져오는 어머니는 주위를 살피면서 물이 빠지는지 확인했고 분수대까지 물을 가져와서 다른 곳으로 물이 새지 않도록 조심스럽게 분수대에 물을 부었다.

물을 부은 분수대를 본 드리머는 평범한 모래 분수대가 정말로 있는 것 같은 모습으로 바뀌어서 기분이 좋았다.

"정말 좋아요! 이걸 생각하기는 했었는데, 어떻게 할지 생각하고 있었어요."

"다행이구나! 정말 아름다운 집이지 않니?"

어머니가 모래집과 분수대를 보며 물었다.

드리머는 분수대에 넣은 물에 손가락을 대었다가 땠다. "마음에 들어요! 이런 집에 산다면 어떨지 궁금해요." 그는 모래로 만든 집과 마당을 둘러보았다.

부모님은 드리머가 둘러보는 동안 몸을 풀며 수영하는 사람들이나 바다에서 놀고 있는 사람들을 보았다.

용기를 가지는 시간

드리머는 부모님이 바다에서 놀고 싶은 건가 싶어서 안에서 노는 사람들을 보았다. '전처럼 안에서 놀자고 해 볼까?' 안에서 놀고 싶었던 그는 선뜻 그렇게 하자고 말을 하지 못했다. '안에서 놀면 뭐가 있을까? … 혹시 수영을 해야 하는 건 아닐까?' 수영에 대한 걱정은 그의 머릿속을 가득 채웠다.

바다를 보다가 바닷물에 닿고 싶은 부모님이 일어나면서 드리머에게 물었다.

"드리머, 바다 근처로 가 보는 건 어떠니?"

"네. 좋아요!"

드리머는 부모님과 함께 바닷물 근처로 가서 바닷물이 퍼지는 곳으로 갔다.

'바닷물은 매년 같은 것 같아.' 바닷물에 발이 닿은 드리머는 바닷물에서 느껴지는 시원함이 좋았다. '시원한 게 정말 좋은걸? 그래서 다들 바닷속에 들어가는 건가?' 그는 바닷속에서 수영을 하고 노는 사람들의 마음이 이해가 갔다.

부모님은 첨벙이며 물놀이를 하고 손에 물을 묻혀서 서로에게 물을 뿌리다가 장난으로 드리머에게도 뿌렸다.

드리머는 얼굴에 물이 묻어서 눈을 깜빡이며 물이 묻지 않도록 손으로 막았다. "아!" 그는 물을 피하면서 물을 뿌렸다.

드리머가 뿌리는 물이 부모님에게는 약했지만, 즐거워하며 물놀이를 하다 보니 물속으로 들어갔다.

물속으로 들어가지 않았던 드리머는 부모님이 깊은 곳에서 물을 많이 뿌리는 것만 보고 안쪽으로 점점 들어갔다. "이야! 이얏…" 그의 허리까지 오는 곳까지 가서 물을 뿌리는데, 아무렇지 않은 것이 그가 물을 맞춰야겠다는 생각만 하고 있어서였다.

부모님은 한 손으로는 서로를 한 손으로는 드리머에게 물을 뿌리며 최대한 맞지 않으려고 했다.

물놀이를 하다가 물을 많이 맞은 드리머가 물 밖으로 나가서

용기를 가지는 시간

부모님도 그를 따라 밖으로 갔다.

"후우… 물놀이는 너무 힘든 것 같아요."

드리머가 숨을 크게 내쉬면서 쉬었다.

부모님도 힘들지 않은 것은 아니었기에 잠깐 쉬려고 드리머와 자리로 가려고 했는데, 그가 물었다.

"혹시 수영은 어렵나요?"

어머니는 드리머가 수영에 대해 처음 말해서 정성껏 대답해 주었다. "수영은 몸을 움직이는 것이어서 힘들 수는 있을 거란다. 그런데 수영을 좋아하는 사람들을 보면 힘들어 보인다는 것보다는 즐거워 보인다는 생각을 하게 되더라고… 그리고 중요한 건 깊은 물에 들어가서 빠졌을 때, 혼자 나올 수 있는 것이 중요하지. 어쩌면 누군가를 구해 줄 수도 있겠구나. 후훗." 그녀가 그의 머리를 쓰다듬으면서 말했다. "드리머, 아직 시간이 많이 있으니까 억지로 할 필요는 없고 지금은 우리가 같이 있어서 빠질 걱정은 하지 않아도 된단다." 그녀는 그를 데리고 자리로 가려고 손을 잡았다.

드리머는 어머니의 손을 놓지 않고 가만히 서서 바다를 보았다.

"그러면 한번 해 보고 싶어요."

부모님은 드리머가 갑자기 수영을 하고 싶어 하는지는 몰랐지만, 조금씩 떨리는 그의 팔을 보고 용기를 냈다는 것을 알았다.

"그러자. 그러면 한번 해 보고 나중에 수영장을 가도 좋을 것 같구나."

부모님은 드리머를 데리고 그의 허리까지 오는 곳까지 들어갔다.

드리머는 처음 수영을 하는 것이어서 긴장이 되고 두근거렸다. '잘할 수 있을까?' 그는 고개를 숙여서 물속을 보며 자신에게 물어보았다.

용기를 가지는 시간

아버지는 드리머의 발쪽에 섰고 어머니는 드리머의 팔쪽에 섰다.

"드리머, 우선 양손을 잡겠니?"

어머니가 손을 드리머에게 뻗으면서 물었다.

드리머는 혹시 모를 상황이 무서워서 어머니의 손을 꽉 잡았다.

"좋아 이제 고개를 숙이고 물속에 고개를 넣었다가 빼는 거야."

"물속에 고개를 넣으면 숨을 못 쉬지 않나요?"

"물속에서 숨을 쉬지는 못한단다. 나중에 쉬는 방법을 알려 줄 거지만, 오늘은 숨을 참고 물속에 고개를 넣는 것부터 해 보자구나."

드리머는 어머니가 말한 것이 수영을 배우는 과정이라고 생각해서 고개를 끄덕이고 숨을 참고 고개를 물속에 넣었다. '흡…' 숨을 참은 그가 물속에 고개를 넣었는데, 숨을 참는 것이 생각보다 어려웠다. '으?'

아버지는 드리머의 주위로 기포가 나오는 것을 보고 그의 고개를 들었다.

"드리머, 괜찮니?"

"파하…" 숨을 빠르게 들이마시고 내쉬는 드리머가 말했다. "언제까지 참아야 하는 건가요? 생각보다 어려워요."

"지금 하는 것은 언제까지 숨을 참을 수 있을지 알아내는 것과 물에 대한 두려움을 없애려고 하는 거란다."

아버지가 드리머의 등을 토닥여 주며 말했다.

숨을 참고 고개를 넣는 것의 의도를 알게 된 드리머는 고개를 끄덕였다. '그렇구나. 내가 물을 두려워하는 것과 내가 얼마나 참을 수 있는지 알아내는 거구나.' 그는 의도를 생각하며 다시 해 보려고 숨을 깊게 들이마셨다. "흡…"

부모님은 드리머가 물에 대한 두려움은 없앤 것 같다는 생각에

용기를 가지는 시간

안심이 되었다.

 "그래도 물에 들어가는 두려움은 없는 것 같네요."

 "네. 있더라도 용기를 가지고 하는 거니까요… 좋은 시도라고 생각해요."

 부모님은 대화를 나누면서도 드리머에게서 눈을 떼지 않았다.

 '음… 아까보다 더 오래 참는 것 같은데?' 숨을 참고 물속에 고개를 넣은 드리머는 시간을 재면서 전보다 더 오래 버티려고 했다. '이 정도면 얼마나 더 오래 참았을까?' 그는 숨이 모자랄 것 같아서 고개를 들었다. "후우…"

 드리머가 고개를 들어서 부모님이 그의 상태를 확인했는데, 그의 상태는 멀쩡했다.

 숨을 천천히 쉬는 드리머는 바로 들어가지 않고 잠깐 쉬었다가 다시 하기로 했다.

 아버지는 드리머가 쉬는 동안 수영하는 모습을 보여 주었고 드리머는 그가 자유롭게 물속에서 돌아다니는 모습이 멋있어 보였다.

 "와! 정말 멋져요."

 드리머의 어깨에 손을 올린 어머니는 웃으면서 아버지가 수영하는 모습을 지켜보았다.

 드리머는 아버지가 수영하는 모습을 보는 어머니가 수영을 못하는 건지 궁금했다. '왜 수영을 하지 않는 걸까?' 그는 어머니가 수영을 못 해서 그런 것은 아닐까 하는 생각이 들었다.

 사실, 어머니는 아버지처럼 수영을 잘하지만, 수영을 하지 않는 것은 드리머를 돌봐야 했기에 그런 것이었다.

 수영을 하고 온 아버지는 아직도 쉬고 있는 드리머에게 수영에 대해 말해 주었다. "수영을 할 때는 숨을 쉬는 것과 물에 떠 있는 것이 중요하단다." 그는 드리머가 물에 떠 있는 방법을 알지 못할 것 같아서 떠 있는 방법에 대해 더 알려 주었다. "물에 떠 있는

용기를 가지는 시간

방법은 팔로 물을 저으면서 발로 물을 차면 앞으로 나아갈 수 있 단다."

"발로 물을 찰 수 있나요?"

드리머는 물속에 넣은 발을 움직이면서 물을 차 보았다.

부모님은 드리머가 물을 차는 행동을 보고 웃음이 나왔다.

"하하하! 드리머, 물을 찬다는 것은 그렇게 차는 것이 아니고 몸을 물 위에 띄운 상태에서 발을 차는 것이란다. 한번 해 보고 싶니?"

드리머는 한번 해 보기로 했다.

"네. 한번 해 보고 싶어요."

아버지는 손으로 드리머의 배를 받쳐서 그의 몸이 내려가지 않 도록 했다.

"내가 몸을 잡고 있으니까, 다리를 움직여 볼래?"

첨벙첨벙. 드리머는 지상에서처럼 발을 찬다는 생각으로 무릎을 구부리고 물을 찼다.

드리머의 무릎이 구부러지는 것을 확인한 아버지가 튀기는 물 에 눈을 찡그리며 말했다.

"드리머, 잠깐만 멈춰 볼래?"

드리머는 아버지의 말을 듣고 발을 멈추었다.

아버지의 눈에 물이 살짝 들어가서 손으로 물을 털어 내고 싶 었지만, 드리머의 몸을 손으로 받치고 있어서 손을 사용할 수 없 었다. "드리머, 무릎을 구부리면서 차면 안 된단다. 그러면 나아가 지도 못하고 점점 가라앉게 될 거야." 그는 드리머를 천천히 세워 서 손으로 물기를 털어 냈고 물을 차는 다리의 모양을 팔로 설명 했다. "무릎이 이렇게 구부러지면 안 되고 무릎을 쫙 편 상태에서 이렇게 움직이면 되고 하다가 힘들어서 못 할 것 같으면 그만하 면 되니까, 알아서 멈추면 된단다."

드리머는 아버지가 설명한 것을 생각하며 다리를 움직이다가

용기를 가지는 시간

넘어질 뻔했다. "후우… 너무 생각했더니 물 위에서 있는 줄 알았어요. 히히." 그는 아버지를 보며 환하게 웃었다.

아버지는 드리머에게 해 볼 건지 묻는 듯한 눈빛으로 드리머를 보았고 드리머는 그것에 응답을 하듯이 자세를 취하려고 했다.

어머니는 드리머의 양손을 잡아 주었고 아버지는 배와 다리를 잡아 주었다.

드리머는 고개를 물속에 넣지 않고 발차기를 찼고 아버지는 그의 발차기를 보면서 무릎이 구부러지는지 확인하며 무릎이 구부러지지 않도록 얘기해 주었다.

드리머는 무릎을 구부리지 말라고 해서 신경을 쓰며 집중했다. '무릎을 구부리면 안 돼.' 그는 최대한 무릎을 구부리지 않고 발차기를 찼다.

아버지는 드리머가 발차기를 찰 때 무릎을 구부리지 않는 것은 좋지만, 다리가 물 위로 올라오지 않아서 그가 힘들어하거나 두려워할 수 있을 것 같아 보여서 걱정되었는데, 그의 걱정은 맞아떨어졌다. "후우… 후우…" 드리머의 힘이 빠지면서 다리는 점점 내려갔다. 그의 몸을 아버지가 받치고 있어서 몸은 내려가지 않았지만, 심리적인 두려움에 점점 걱정이 되었다. '혹시 몸이 가라앉지는 않겠지?' 그는 점점 내려가는 다리를 올리려고 다리에 힘을 주었다. '올라와라. 올라와라!' 그는 간절했지만, 그의 바람대로 되지는 않았다.

어머니는 드리머의 표정을 보고 그의 힘이 다다랐다는 것 같다고 느꼈다. "드리머가 힘들어하는 것 같아요." 그녀는 아버지에게 말을 해서 그를 세우게 했다.

아버지는 어머니의 말을 듣고 천천히 드리머의 몸을 일으켰다.

발을 차던 드리머는 발차기를 하지 않아도 된다는 것에 안도하며 발차기를 멈추었다. "후우…" 그가 서서 숨을 쉬었지만, 다리에 힘이 없어서 중심을 잡기가 어려웠다.

용기를 가지는 시간

부모님은 힘이 없어진 드리머를 데리고 밖으로 나갔고 몇 시간 만에 자리로 돌아온 드리머네 가족은 돗자리 위에서 쉬었다.

드리머는 누워서 팔과 다리를 쭉 뻗었다.

"드리머, 오늘 고생이 많았구나."

어머니가 간단하게 먹을 과일을 준비하며 말했다.

드리머의 팔과 다리를 주무르는 아버지도 그에게 말했다.

"드리머, 잘했다. 다음에는 발을 찰 수 있을 거야."

누워서 하늘을 보는 드리머가 물었다.

"방금은 내가 발을 못 찼나요?"

"음. 방금은 물 위를 차지는 못했구나. 그건 다음에 해도 괜찮으니까, 오늘은 물에 들어간 것으로 만족해도 될 것 같구나."

아쉬웠던 드리머는 아버지의 말도 맞는 것 같다고 생각했다. '그러고 보니, 내가 물에 들어가는 것도 무서워했었는데, 지금은 물에는 들어갈 수 있어.' 그는 물에 들어가서 무언가를 했다는 것에 만족하기로 했다.

"와아!" 드리머네 가족이 앉은 곳으로부터 먼 곳에서 아이들이 감탄하는 소리가 들렸다.

고개를 돌려서 소리가 나는 곳을 본 어머니가 드리머에게 물었다.

"저기서 공연을 하는 것 같은데, 같이 가 볼까?"

"공연이요?" 드리머는 힘이 들어서 가고 싶지 않았다. "조금 힘이 들어서 그런데, 조금만 쉬면 안 될까요?"

"그러렴. 오늘 무리를 했지. 너무 무리한 상태에서 무언가를 하는 건, 몸에도 좋지 않단다."

어머니는 드리머를 재촉하지 않고 바다를 보았다.

아버지는 드리머가 어떤 공연인지 몰라서 그러는 것 같다고 생각했다. '분명 드리머는 저 공연이 마션이 하는 공연이라는 것을 모르고 있을 거야.' 그는 드리머에게 말은 해 주는 게 좋을 것 같다는 생각이 들었다. "드리머, 어떤 공연을 하는지 잠깐 보았는데…"

드리머는 어떤 공연인지 궁금해서 누운 채로 아버지를 보았다. "마션이 하는 공연인 것 같구나."

"마션이요?" 놀란 드리머의 눈이 커졌지만, 힘이 빠진 몸에 일어나지는 못했다. "아으…"

"드리머, 한동안은 가만히 있는 게 좋을 것 같구나."

어머니는 드리머가 일으키려는 몸에 손을 대며 그를 눕혔다.

드리머는 마션의 공연을 한번 보고 싶어서 팔을 떨면서 몸을 일으키려 했다. 어머니는 그의 고집스러운 모습에 말리고 싶었지만, 그가 무엇을 원하는지 알았기에 몸을 일으켜 주었다.

어머니의 도움을 받고 몸을 일으키는 것에 성공한 드리머가 완전히 일어나려고 했지만, 그의 다리는 일어서는 것까지 허락하지 않았고 팔에 남아 있는 힘도 몸을 일으키는 데에는 충분하지 않았다.

아버지는 드리머의 몸을 완전히 일으켜서 업으려고 했다. 어머니는 그가 혼자서 드리머를 업는 것이 힘들어 보여서 도와주었다.

"드리머, 이제 공연을 구경하러 가 보자!"

드리머를 업은 아버지가 힘찬 발걸음으로 공연을 하는 곳으로 갔다.

공연을 하는 곳에는 아이들과 가족들이 공연을 보며 환호하고 있었고 사람들 앞에서 공연하는 마션을 본 드리머의 입꼬리가 올라갔다.

"오! 정말 사람들이 많은 것 같아요!"

"그렇지? 다들 마션의 공연을 좋아하니까." 아버지는 드리머를 업은 상태여서 다른 사람들에게 방해가 되지 않도록 구경하는 사람들의 맨 뒤로 갔다. "우리가 앞으로 가면 뒤에 있는 사람들이 보이지 않으니까, 여기서 구경하자구나."

용기를 가지는 시간

드리머는 거리에 신경 쓰지 않고 마션의 공연을 보는 것을 좋아했다. '와아! 정말 멋지다! 내가 보았던 그런 공연이 아닌 것 같아!' 그가 속으로 감탄하고 있는데, 공연을 하는 마션과 눈이 마주쳤다.

마션은 드리머를 보고 씨익 웃고서 공연을 계속 진행했다.

드리머가 꿈의 세계에서 본 것처럼 마션은 무엇을 하든지 쳐다보지 않아도 되었다. '이런 상황들이 생길까 봐 다른 곳에 시선을 두면서 연습을 하는 걸까?' 그는 마션이 신기한 기술을 할 때도 물건을 보지 않는 것이 신기했다.

마션의 공연은 종이를 이용한 공연이었다. 꿈의 세계에서 보았었던 종이 동물들과 종이비행기 등 여러 가지 모형과 종류의 종이로 공연을 했다.

아이들은 쉽게 접할 수 있는 종이에 반가워하며 즐거워했고 마션이 종이 중에 한 개를 주려고 하면 받고 싶다며 손을 앞으로 쭉 뻗게 하는 것이 아이들의 마음을 잘 알고 있다는 것이었다.

마션의 공연이 거의 다 끝나 가고 아무것도 받지 못한 아이들의 표정은 슬퍼 보였고 다음에 할 공연을 준비하는 그는 슬퍼하는 아이들의 표정을 슬쩍 보고 웃었다.

드리머는 마션의 눈과 웃음을 보고 뭔가 큰 것을 보여 줄 것 같다는 느낌이 들었다.

"뭔가 마션이 우리에게 큰 무언가를 보여 줄 것 같아요."

"그러니? 마션이 큰 무언가를 할 때의 행동이나 표정을 보았나 보구나. 어떤 것일지 궁금해지는구나."

아버지는 공연을 보면서도 드리머의 말에 대답을 해 주며 같이 즐겼다.

준비를 끝낸 듯한 마션은 사람들이 잘 보이는 곳으로 가서 자리를 잡았고 아무것도 들고 있지 않은 손을 비볐다. 아이들은 그가 다음에 어떤 행동을 할지 호기심 가득한 표정으로 집중했다.

용기를 가지는 시간

마션이 비비던 손을 멈추고 마주 대었다가 거리를 점점 벌렸더니, 손바닥 사이에서 종이로 만든 상자가 나타났고 상자가 열리면서 안에 있던 작은 종이 동물들이 위로 솟아올랐다.

"와아!" 아이들이 위로 솟아오르면서 퍼진 종이가 사방으로 떨어지는 것에 신기해하는데, 그중에는 드리머도 포함되었다.

"와아! 저건 전에도 본 적이 없는 것 같아요! 저걸 보았다면 아직도 기억하고 있을 거니까요."

"마션이 일부러 드리머에게 보여 주지 않은 것 같구나. 마치 이 시간을 알고 있던 사람 같구나."

드리머는 아버지가 무심코 한 말에 의심이 갔다. '정말로 마션은 이 시간이 올 거라는 것을 알고 있었을 수도 있어… 저번에 내가 고민하고 있는 것을 맞췄던 것처럼 말이지.' 그는 마션의 의도를 생각하면서 공연을 보았다.

마션의 공연이 끝나서 인사를 했고 그의 공연을 보던 사람들은 환호하며 그에게 박수를 보냈다.

박수를 받는 마션이 가방을 닫으며 말했다.

"밑에 떨어진 종이 동물을 모두 가져도 되니, 잠깐 기다려 주세요."

"드리머, 들었니?" 아버지가 웃으면서 물었다. "종이 동물을 가져도 된다고 하는데, 가지고 싶니?"

드리머는 고개를 끄덕였다.

아버지에게 업혀서 줄을 서는 드리머의 마음이 설레면서 두근거렸다. '밖에서 하는 마션의 공연을 보고 종이 동물을 받는다니! 이건 정말 좋은 기념품인걸.' 그는 어떤 동물을 받을지 상상했다. '내가 받을 동물은 뭘까?'

마션은 마지막으로 서 있던 드리머에게 동그란 모양의 종이를 주었다. 알 수 없는 종이를 받은 드리머는 종이를 정면으로 들어서 빤히 보았다. '음…' 드리머는 그에게서 받은 종이의 정체를 알 수 없었다.

마션은 가만히 서서 드리머를 보다가 의자를 꺼냈고 그에게 앉으라고 손짓해서 아버지가 그를 내려 주었다.

마션은 다시 공연을 시작할 것처럼 손짓을 했다. 드리머는 이미 그가 어떤 것을 할지 알고 있어서 사람들의 반응을 기대하며 웃었다. '분명히 마션은 그 공연을 할 거야.'

마션은 드리머의 예상대로 구름을 가지고 하는 공연을 하려고 손바닥 사이로 구름이 생기게 했다.

"와아!" 공연을 구경하는 아이들은 마션이 만들어 낸 구름을 보며 감탄했다.

드리머는 아이들의 감탄하는 모습을 보고 자신이 박수를 받는 느낌을 받았다. '오오.' 그의 가슴은 감동으로 꽉 찼고 처음으로 느낀 감동에 그의 의지가 타올랐다.

마션이 구름으로 아이들을 재미있게 한 뒤에 종이를 사방에서 나오게 했고 그것들을 가운데로 모았다.

드리머는 처음 보는 공연에 궁금했다. '저번에는 사방에서 나오는 종이를 보여 주었는데, 이번에는 가운데로 모으네? 저번에는 다른 걸 연습하는 것을 보았었나 보다…' 그는 전에 보았던 것이 마션이 연습을 하는 과정이었다는 것을 알게 되었다.

아이들과 부모님들은 종이들이 가운데로 모이면서 하나의 모형이 되는 것을 지켜보았다.

"저건 뭘까?"

"사람인 거 같아요!"

드리머는 사방에서 들리는 웅성임에 기대치가 더 커졌다.

'발 모양을 보니까, 사람은 아닌 거 같은데…'

가운데로 모인 종이는 점점 형체가 갖추어졌다. 발부터 다리, 몸, 팔, 손, 얼굴… 그것은 한 명의 사람처럼 보였지만, 그것의 발을 보면 사람 같지는 않아 보였다.

용기를 가지는 시간

'저 발 모양을 어디서 봤더라?'

드리머는 익숙해 보이는 발 모양을 보고 곰곰이 생각했고 감탄하는 아이들은 모두 사람이라고 기대하며 보았다.

형체가 완전히 갖춰지고 아이들은 그것이 로봇이라는 것을 알게 되었다.

"어! 로봇이잖아!"

아이들은 로봇을 보며 환호했고 드리머도 신기하면서 반가웠다.

"저 로봇은 회복실에 있는 로봇이에요!"

아버지는 드리머가 신나서 말하는 모습에 환하게 웃으며 로봇을 보았다.

종이 로봇은 가만히 있는 것이 아닌 조금씩 움직였고 마션은 그것을 지켜보았다.

드리머와 아이들은 움직이는 로봇에 반응하며 즐거워했다.

몇 분이 지나고 아이들과 드리머의 흥미가 떨어질 즈음에 마션이 손짓을 했더니, 연기가 로봇 주위를 감쌌다.

드리머와 아이들은 더 극적인 연출에 시선과 정신을 빼앗기듯이 집중했고 마션은 자신이 가져온 것들을 주섬주섬 챙겨서 로봇 뒤로 갔다.

뒤에서 로봇을 보던 드리머와 다른 가족들의 시야에는 마션이 보여서 무엇을 하려는 건지 궁금해했다.

"뭐지?"

마션을 본 사람들이 다시 웅성거리며 소란스러워졌다.

앞쪽에 있는 사람들은 뒤쪽이 소란스러워져서 무슨 일인지 궁금해했다. "무슨 일이 일어난 걸까?" 앞쪽에 있던 사람들이 뒤쪽으로 넘어오려고 할 때, 연기는 더욱더 진해져서 로봇과 마션을 가렸다.

드리머는 연기 속으로 들어가면 로봇과 마션을 볼 수 있는 것을 알고 있어서 안쪽으로 들어가려고 다리를 움직이려 했지만, 힘이 빠진 다리는 움직이지 않았다. '다리가 움직이지 않아.' 힘겹게 일어난 그가 서서히 앞으로 갔지만, 연기가 사라지면서 마션과 종이 로봇은 사라졌다.

주위에 있던 사람들은 이해를 할 수 없다는 표정으로 멍하니 마션과 로봇이 있던 곳을 보았다.

"멋있구나." 아버지는 공연이 끝난 것을 보고 드리머를 조심히 업었고 그가 앉아 있던 의자를 접어서 들다가 종이를 발견했다. "여기에 종이가 있구나."

"어떤 종이인가요?" 드리머가 아버지에게 물으면서 종이에 적힌 내용을 읽었다. "내일 점심에 이곳에서 만나면 좋겠구나. … 마션이 내일 여기서 만나자고 하네요."

"잘됐구나. 어서 가자. 엄마가 기다리고 있을 거란다."

드리머를 업은 아버지는 의자를 든 상태로 어머니가 있는 곳으로 갔다.

12
마션의 가르침

드리머는 점심시간이 되기 전까지 시간을 자주 확인했다. '지금이 몇 시지?' 점심시간이 되려면 아직 멀었지만 그는 초조해했다.

따뜻한 차를 마시며 밖을 보던 어머니가 드리머의 머리를 쓰다듬었다. "드리머, 늦지 않을 거니까. 너무 걱정하지 마렴." 그녀는 마시던 차를 그에게 내밀었다. "따뜻한 차가 긴장을 풀어 주는 데에 좋을 때도 있다고 들었단다. 한번 마셔 볼래?"

드리머는 어머니가 내민 차가 뜨거운지 만져 보았고 뜨겁지 않아서 양손으로 잡고 조금씩 마시면서 차의 향을 느끼며 천천히 마셨다. "맛있는 거 같아요."

어머니는 드리머를 보고 웃었다가 창밖을 보았다.

차를 마시면 마실수록 마음이 차분해지는 것이 정말로 차에 긴장을 완화해 주는 효과가 있는 건가 싶었다.

'정말로 차에는 긴장을 하지 않게 하는 효과가 있나 봐!' 드리머는 차의 효과를 생각하면서 공연을 하는 날에 마시면 좋을 것 같았다. '이걸 공연을 하기 전에 마시면 공연할 때 긴장을 하지 않을 수 있을 것 같아.'

점심시간이 되기 전에 부모님은 드리머를 찾았다.

마션의 가르침

"드리머! 준비는 다했니?"

"네! 이제 나가요!"

드리머가 방문을 열고 나오면서 외쳤다.

"그럼 이제 가자구나. 지금 가면 딱 맞게 도착할 거니까."

부모님이 드리머의 손을 잡고 집에서 나갔다.

길을 걸으면서 바닷가 소리를 들으니, 기분이 상쾌했다. 평소에 걸었던 평범한 길이 그때만큼은 푹신푹신한 길처럼 느껴졌다.

'마션은 어떻게 사라진 거고 왜 만나자고 한 거지?'

드리머는 마션의 공연을 본 날을 기억하면서 그가 왜 만나자고 했는지 궁금해했다.

마션과 만나자고 한 곳에 가까워지고 있다는 것을 바닷소리와 사람들이 즐거워하는 소리가 알려 주었다.

드리머는 마션과 만나는 것이 두근거렸다.

'마션이 뭘 하려고 하는 걸까?'

마션이 만나자고 한 곳으로 가려면 마실 것을 파는 곳을 지나야 해서 부모님이 마실 것을 파는 곳을 보았는데, 그곳은 열지 않았다.

"오늘은 운영을 하지 않는 것 같구나." 어머니가 드리머의 손을 놓으며 말했다. "우리는 바닷가에 있을 테니까, 조심해서 갔다가 오렴."

아버지도 손을 놓고 고개를 끄덕였다.

혼자 가는 것이 조금 망설여지는 드리머가 손을 잡으려고 했지만, 부모님은 그의 손을 잡지 않았다. 어머니는 그의 손목을 잡아서 내렸고 그의 눈높이에 맞춰 앉아서 그의 머리를 쓰다듬었다.

드리머는 바닥을 보고 고개를 끄덕였지만, 속으로는 불안했다.

부모님이 서서 드리머의 모습이 사라질 때까지 보며 손을 흔들었고 그는 손을 흔들다가 마션과 만나기로 한 곳으로 걸었다.

공연을 했었던 곳에는 마션이 서 있었다. 드리머는 가만히 서

마션의 가르침

서 뭔가를 하는 그에게 손을 흔들며 뛰어갔다.

"마션! 안녕하세요."

"왔구나." 마션은 양팔을 크게 한 바퀴를 돌리더니 커다란 풍선이 생기게 했다. "이거 받으렴."

드리머는 마션이 준 풍선을 양손으로 잡아서 들었다. "정말 크네요!" 그는 고개를 이리저리 움직이면서 풍선에 비친 모습을 보았다.

마션이 드리머에게 물었다.

"그때 줬던 종이는 가지고 있니?"

"아, 네." 드리머는 주머니에 넣어 두었던 동그란 종이를 꺼냈다. "그런데 이건 뭔가요?"

"그건 알이란다."

"알이요?" 알이라는 말을 들은 드리머가 다시 종이를 보았는데, 동그란 모형처럼 보이던 종이가 알 모형처럼 보이기 시작했다. "정말 알인 것 같아요!"

마션은 풍선을 나타나게 했을 때의 동작을 다시 한번 해서 줄무늬가 있는 공이 나타나게 했고 공을 입에 가져다 대었다.

드리머는 마션이 입에 가져다 댄 공이 줄어드는 것을 보고 그가 공의 공기를 들이마시는 것이라고 생각했다.

"공기를 마시는 건가요?"

크기가 줄어든 공을 들고 씨익 웃는 마션이 공을 내밀어서 드리머가 공을 잡으려고 보았는데, 줄무늬가 있는 공은 어느새 밋밋한 풍선으로 바뀌어 있었다.

"와아!" 길을 가다가 마션을 보고 있던 아이가 다가오면서 외쳤다.

드리머는 점점 몰려오는 사람들을 보고 마션이 왜 그런 연출을 한 것인지 이해했다. '마션이 사람들을 모으려고 일부러 그런 거구나.' 마션이 사람들을 모아서 공연을 하는 것이라고 생각했던

마션의 가르침

그는 마션이 사람들을 모으는 것이 아닌 저절로 사람들이 모이는 것을 알게 돼서 중요한 것을 배운 것 같았다.

마션은 사람들이 더 모이기 직전에 드리머가 공연을 하도록 유도했다.

마션과 모인 사람들을 번갈아 보던 드리머의 시야로 마션의 가방 속에 있는 도구들이 들어왔다. '저기에 내가 할 만한 것이 있을까?' 그는 가방을 눈으로만 보았다.

마션은 빈 시간을 메꾸기 위해 다른 공연을 했다. 그의 주된 공연은 구름을 이용한 공연이어서 사람들의 관심을 끌기에는 충분했다.

마션은 드리머와 아이들에게 보여 주었던 작은 구름이 아닌 큰 구름이 생기게 했고 큰 구름을 작게 나누어서 주위 사람들에게 퍼뜨렸다.

아이들은 구름을 잡으려고 했지만, 구름을 잡지 못했다.

드리머는 가방에 있는 도구들을 보느라 구름이 움직이는 것을 못 보았다. '어떤 것을 할 수 있을까?' 그는 그가 만든 도구는 아니지만, 똑같은 도구를 발견했다. '이거면 할 수 있을 거 같은데?' 그는 얇은 실에 연결된 종이로 공연을 해 보기로 했다. '아직 부족할 수는 있지만, 지금 내가 할 수 있는 거라도 해 봐야지.' 그가 얇은 실을 손가락에 끼웠지만, 장소와 필요한 물건들이 없어서 연습하던 대로 할 수 없었다. '막상 집었지만, 필요한 책상이나 탁자가 없네.' 그는 당황했지만, 위기를 기회로 잡기로 했다.

펄럭. 손가락에 실을 묶은 드리머는 종이를 이리저리 조종하는 것처럼 손짓을 하며 종이를 움직이게 했다.

드리머의 새로운 공연을 보고 씨익 웃는 마션은 구름을 모아서 없애고서 그의 뒤에서 공연을 지켜보았다.

드리머가 종이를 움직이는 것에 아이들은 신기하게 보았고 부모님들은 귀여워하며 보았다.

마션의 가르침

드리머가 사람들 앞에서 하는 첫 공연인 만큼 긴장할 수도 있겠지만, 사람들 앞에서 공연을 한다고 생각하는 것이 아닌, 마션이 하라고 해서 해 보는 것으로 생각하고 있었기에 긴장은 되지 않았다.

드리머가 사람들 앞에서 하는 것이 익숙하지 않기도 하고 어떤 상황이 일어나는지 경험하지 않았기에 대처하기가 어려울 것 같다고 예상한 마션은 아이들이 종이를 잡으려고 할 때마다 설치한 기계를 작동시켜서 종이를 잡지 못하게 했다.

드리머는 그것을 몰랐기에 당황하지 않고 할 수 있었고 그의 공연이 조금 부자연스럽더라도 연습을 할 때보다 괜찮았다. 중요한 것은 그가 즐기면서 공연을 하고 있다는 것이었다.

드리머의 공연이 끝나고 마션이 마무리를 하려고 나섰다. 드리머는 공연을 했던 도구를 가방에 정리하면서 공연을 힐끔힐끔 보았다.

공연의 끝부분에서 드리머에게 주었던 동그란 종이를 든 마션은 가방을 닫아서 그에게 주었고 그의 손을 잡았다.

펑! 마션이 들고 있던 동그란 종이가 바닥으로 떨어지면서 큰 소리가 났고 연기가 주위로 퍼졌다. 연기는 모습만 보이지 않게 한 것이어서 구경을 하는 사람들의 앞만 보이지 않을 뿐이었다.

마션은 드리머와 어딘가로 뛰었고 사람들이 없는 곳에서 가방을 받아서 사라지게 했다.

순식간에 먼 곳으로 달려서 힘이 든 드리머는 잠깐 자리에 앉아서 숨을 골랐다.

"후우… 너무 힘드네요."

"그렇지? 조금 쉬다가 가는 게 좋을 것 같구나." 마션이 평온한 표정으로 말했다. "우선 네 부모님에게 연락을 하고서 기다리는 게 좋을 것 같으니. 연락을 하렴."

드리머는 금방이라도 잠들 것 같은 표정으로 목걸이를 작동시

마션의 가르침

켜서 부모님을 불렀고 기다리는 동안 잠이 들었다.

"으음…" 잠에서 깬 드리머가 눈을 비비며 눈을 떴다. "여기는 어딘가요?"

드리머는 아버지의 등에 업혀서 바닷가 옆을 지나가고 있었다.

"오늘 어땠니?" 걸음을 멈춘 아버지가 바닷가를 보며 물었다. "오늘은 생각보다 재미있었나 보구나."

등에서 떨어지지 않게 손에 힘을 주는 드리머가 대답했다. "네, 오늘은 정말 꿈같은 경험이었어요." 그가 눈을 깜빡이며 말했다. "그리고 마션에 대해 조금이라도 더 알게 되는 날인 것 같아요."

"그러면 다행이구나."

아버지는 바닷가를 구경하는 것을 끝내고 어르신 부부의 집으로 갔고 드리머는 다시 잠에 들었다.

침대에서 일어난 드리머는 마션과 있었던 일이 정말 꿈같아서 믿기지 않았다. '오늘 있었던 일이 꿈은 아니겠지?' 그가 창문 밖을 보았는데, 날이 밝아져 있었다.

뭔가 이상한 기분이 든 드리머가 목걸이로 날짜와 시간을 확인했는데, 그의 이상한 기분이 틀리지 않은 것이 마션과 만났던 날이 아닌 다음날이 되어 있었다.

'내가 얼마나 잔걸까?'

드리머는 기지개를 펴며 정신을 차리고 밖을 돌아보기로 했다.

"드리머, 잘 잤니? 오랜만에 푹 잔 것 같구나."

1층에는 이미 일어나서 휴식을 취하고 있는 부모님이 있었다.

"네, 너무 잘 잔 거 같아요. 일어났는데, 다음날이 되어 있었어요."

어머니는 웃으며 차를 한 모금 마셨다.

드리머는 세수를 마치고서 나갈 준비를 마쳤다.

"드리머, 어디 가려고?"

마션의 가르침

"네, 잠깐 근처를 돌아보고 싶어서요."

"그러렴. 조심해서 갔다 오렴."

어머니는 들고 있던 컵을 식탁에 내려놓고 드리머가 가는 모습을 보았다. '바람이 시원해서 돌기에는 괜찮겠다.' 그녀는 마당에 있는 나무에 앉아서 여유를 즐기는 새를 보았다.

'요즘 운동을 하지 않아서 어제 너무나도 힘들었어.' 드리머는 그동안의 자신을 반성하며 운동을 하기로 했다. '오늘은 어디까지 가는 게 좋을까?' 그는 너무 무리하면 안 좋을 것 같다고 생각해서 시간을 잴지 해수욕장까지 갈지 고민 됐다. '음… 시간으로 하는 게 좋을까? 그렇다고 해수욕장을 넘어서 가고 싶지는 않은데…' 운동을 좋아하지 않는 그가 고민을 하는 것은 핑계를 대고 싶어서 그런 것이었다.

멀더라도 해수욕장까지만 가고 싶고 해수욕장까지 가지 않아도 되면 좋을 것 같아서 정하지 못한 것인데, 만약 드리머가 운동을 좋아했다면 어떤 것이든지 상관이 없었을 것이다.

"바람이 좋고 바닷가 소리가 들리니까 걷기에도 좋은 거 같아."

드리머는 심심함을 혼잣말을 하면서 달랬다.

드리머가 걷는데, 앞에서 운동을 하며 다가오는 여성이 드리머에게 물었다.

"혼자 걷는 거니?"

"네! 잠깐 산책 좀 하려고요."

"그렇구나! 좋은 공기를 마시니까, 운동이 잘되지 않니?" 운동을 하느라 가쁜 숨을 쉬는 여성이 드리머의 옆을 지나면서 말했다. "조심히 가렴!"

드리머가 멈춰서 인사를 하려고 해도 여성은 앞만 보고 가느라 그를 볼 생각이 없었다. '그냥 갔네.' 그는 인사를 하려다가 못 해서 가만히 서 있다가 다시 걷기 시작했다.

마션의 가르침

　띠링. 드리머가 운동을 하는데 목걸이로 연락이 왔다. 그 연락이 그의 발걸음을 멈추게 한 것은 잊고 있던 화조란의 연락이었다. 그는 다른 사람들의 통행에 방해가 되지 않도록 옆으로 나온 뒤에 목걸이를 켜서 연락을 확인했다. '이번에는 못 왔나 보네.' 연락을 보다가 그사이에 빠르게 지나간 시간을 확인했다. '벌써 시간이 이렇게 지났네.' 그는 집에 가서 밥을 먹으려면 빨리 움직여야 해서 다시 걸었다.

　드리머가 시간을 생각하면서 걷느라 힘들다는 생각이 들지 않았다.

　"오! 해수욕장에 도착했잖아?" 사람들이 많이 있는 해수욕장을 본 드리머는 거기까지 걸어서 운동했다는 것에 뿌듯했다. '이제 다시 돌아가야겠다.' 그가 돌아가려고 시간을 확인했는데, 그가 생각했던 시간보다 더 많이 걸었다.

　해수욕장에서 집으로 돌아가면서 아까 만났던 여성을 다시 만났다. 웃으며 손을 흔드는 그녀는 이번에도 바로 지나갔다. 드리머는 운동을 할 때는 그런 것이라는 것을 깨달았다.

　"드리머, 열심히 하는구나."

　드리머의 뒤로 마션의 목소리가 들려서 놀란 그가 옆을 보았는데, 마션이 옆에서 걷고 있었다.

　"어떻게 알았나요?"

　"내가 머무는 곳에서 네가 보여서 나와 봤단다."

　마션은 천천히 걸으면서 바닷가를 감상했다.

　드리머도 바닷가를 구경하면서 여유롭게 걷고 싶었지만, 운동을 오랜만에 해서 여유롭지 않았다.

　"바닷가는 정말 아름답지 않니?"

　"네… 정말… 좋네요…"

　여유롭지 못한 드리머는 대답을 빠르게 하지 못했고 숨을 내쉰 뒤에 한마디씩 해야 했다.

마션의 가르침

한동안 바닷가를 감상하던 마션이 드리머에게 말했다.

"어제는 잘했단다. 전에 연습을 할 때보다 훨씬 나아졌어… 그렇지만 더 연습을 해야 한단다."

드리머가 고개를 끄덕이고 마션을 보았는데, 그의 모습은 보이지 않았고 집에 도착했다. '어디 간 거지? 뒤로 갔나?' 그는 마션을 찾으려고 주변을 수색하듯이 보았다.

"드리머! 뭐 하고 있는 거니?"

마당에서 드리머를 보고 있는 어머니가 물었다.

드리머는 마션을 찾는 것을 그만두고 마당으로 갔다.

드리머가 마당으로 오자마자 어머니는 집 가운데에 있는 마당으로 그를 데리고 갔다. 그곳에는 아버지와 어르신 부부가 고기 맛이 나는 음식을 구울 준비를 하고 있었다.

"드리머, 어서 오거라."

여성 어르신이 드리머에게 오라고 손짓하며 그를 반갑게 맞이했다.

드리머는 의자에 앉아서 어머니와 그릇과 숟가락, 젓가락을 놓았고 여성 어르신은 반찬을 남성 어르신과 아버지는 불을 지피며 고기를 구웠다.

"오늘은 왜 여기서 먹는 건가요?"

"이것저것 챙겨서 가야 하고 바람도 많이 불어서 이곳에서 먹는 거란다."

"아하." 드리머는 그곳에서 먹는 것도 나름 괜찮은 것 같았다. '여기서 먹는 것도 좋지.'

음식이 다 구워지고 모두가 맛있게 음식을 먹었다.

저녁이 되고 그곳에는 추가된 것이 있었는데, 그것은 바닥에 설치한 작은 전등이었고 전등의 밝기가 조용한 분위기를 더해 주었다.

"이곳에서 바닷가가 보였다면 완벽한 곳이 될 수도 있겠는데

마션의 가르침

요?"

어머니가 바닷가 쪽을 보며 말했다.

여성 어르신은 어머니의 말에 공감했다.

"그러니까요. 아쉽지만, 그래도 좋지 않나요?"

"물론이죠. 너무 좋아서 아쉬울 정도예요."

여성 어르신과 어머니는 주변 환경과 분위기에 대해 말하며 음식을 먹었다.

드리머는 말하는 것보다 음식을 먹는 데 집중했다.

어르신 부부와 부모님은 맛있게 먹는 드리머의 모습을 보고 흐뭇했다.

방에 간 드리머는 마션과 했던 공연을 생각하며 연습을 했다. '이것들이 있었다면 좋았을 텐데…' 그는 그곳에 설치한 식탁과 책상을 보며 아쉬워했다.

연습을 시작한 드리머가 목걸이로 영상을 찍고 확인했는데, 영상에 보이는 그의 모습은 자연스러웠다. '전보다 더 나아진 거 같은데?' 그는 혼자만의 생각일 수도 있다고 생각하며 아인과 류인태에게 보냈다.

그들은 드리머의 모습이 완전히 나아서 어떻게 된 건지 묻느라 바빴고 그는 그런 질문이 매우 반가웠다.

영상을 보내는 것이 실력을 향상하는 데 좋은 것 같다고 생각한 아인과 류인태가 영상을 보내 와서 드리머도 그들의 영상을 보았다.

아인의 영상에 처음 보는 벽지가 있어서 그녀의 집이 아닌 다른 곳에서 찍은 것 같았다. '아인도 다른 곳에 놀러 갔나 보네.' 드리머는 그녀와 류인태의 영상을 보고 괜찮다고 했다. '아인과 인태는 정말 괜찮아. 나도 이 정도일까?' 그는 그들이 괜찮아졌다고 해서 괜스레 자신감이 넘쳤다.

드리머가 침대에서 쉬고 있을 때, 어머니가 방으로 들어왔다.

마션의 가르침

"드리머, 심심하지는 않니?"

드리머는 어머니를 보고 서서히 상체를 일으켰고 그녀가 침대 끝에 걸터앉으며 말했다.

"조금 있으면 할머니, 할아버지에게 갈 거니까, 알고 있으렴."

드리머는 떠난다는 것이 뭔가 불안하면서 싫은데, 막상 가려던 곳에 도착하면 안정을 찾는 것이 떠난다는 것보다는 떠나는 과정을 싫어하는 것일 수도 있다.

어머니가 나가고 드리머는 생각에 잠겼다. 그가 생각에 잠긴 이유는 그곳에서 떠나기 전에 뭔가를 해 보고 싶어서 그런 것이었다. '뭔가를 하고 나서 가고 싶은데…' 그는 창밖으로 보이는 고요한 바닷가를 보았다.

드리머는 답답함에 무작정 밑으로 내려갔다.

"음… 드리머? 어디 가는 거니?"

"아니요." 드리머는 아버지가 앉아 있는 소파로 가서 옆에 앉았다. "뭔가 아쉬워서요."

아버지는 드리머의 말에 텔레비전을 껐다. "이번 꿈의 세계에서 배운 건 없니?" 그는 꺼진 텔레비전을 보는 드리머를 보았다.

"마션에게 배운 건 있는데, 아직 앞에서 하지 못해요."

"전에 잘했던 거 같은데? … 그 정도면 충분하지 않을까?"

"아직 잘 모르겠어요. 확실히 전에 마션과 같이 사람들 앞에서 공연을 한 뒤로 나아진 것 같은데, 사람들 앞에서 해도 되는 정도인지는 모르겠어요."

아버지는 망설이는 드리머와 함께 방으로 들어갔고 드리머가 연습을 하던 도구들을 보려고 했다.

"내가 네 도구들을 살펴봐도 괜찮겠니?"

아버지는 드리머의 기분이 나쁘지 않게 미리 물어보았다.

드리머는 도구들을 하나씩 꺼내서 보여 주었다. '종이를 연결한 필기도구, 숟가락과 젓가락, 아름다운 빈 책, 베개와 이불'을 본

마션의 가르침

아버지는 웃음이 나왔다.

"드리머, 네가 이것들을 한 번에 다 하는 것보다는 하나씩 보여 주면 어떨까?"

아버지가 살펴보던 도구를 내려놓으며 물었다.

"어떻게 하면 되나요?"

아버지가 드리머에게 방법을 알려 주어서 기쁨이 슬며시 올라왔다.

점심을 먹기 전, 아버지는 드리머가 어르신 부부 앞에서도 공연을 자연스럽게 할 수 있도록 도와주려고 숟가락과 젓가락을 놓는 것을 둘이서 하기로 했다.

점심 준비가 끝나고 어르신 부부와 드리머네 가족이 자리에 앉았는데, 숟가락과 젓가락이 없는 쪽에 드리머가 앉았다.

여성 어르신이 드리머에게 음식을 주려고 보다가 어색한 것을 느껴서 자세히 보았다. "드리머가 앉은 자리에는 식탁보의 색이 다르구나." 식탁보를 보던 그녀가 그의 손에 젓가락과 숟가락이 없는 것을 알았다. "어? 드리머, 젓가락과 숟가락을 놓지 않은 것 같구나."

여성 어르신이 그런 말을 할 때까지 기다리던 드리머의 입꼬리가 올라갔고 손을 식탁보 위에 올렸다. 어르신 부부와 부모님은 그가 무엇을 하는지 지켜보았다.

드리머는 모두가 가까이에서 지켜보는데도 숟가락과 젓가락이 나오게 하는 것에 집중했다. '차분하게… 천천히…' 그는 차분함을 유지하려고 노력했다. '좋아… 이대로 하면 돼.' 그가 긴장해서 시간이 약간 지체됐지만, 어르신 부부와 부모님은 그를 기다려 주었다.

숟가락과 젓가락을 성공적으로 나타나게 한 드리머는 활짝 웃으며 숟가락과 젓가락을 들었다.

마션의 가르침

어르신 부부와 부모님은 드리머가 해낸 것에 박수를 쳤다.

"드리머가 열심히 연습한 거예요."

성공한 것이 좋으면서 쑥스러워서 말을 못 하는 드리머를 대신해서 아버지가 말했다.

"정말요? 아주 멋진걸!"

"그러게요. 정말 멋지네요. 잘했구나. 드리머."

어르신 부부가 감탄하며 드리머를 칭찬해서 그는 너무 좋았고 그 후에 먹는 음식은 여느 때보다 훨씬 맛있었다.

처음으로 누군가의 가까이에서 공연을 성공적으로 마무리해서 뿌듯한 드리머는 정리를 마치자마자 아인과 류인태에게 자랑했다.

드리머의 공연을 본 사람은 그들뿐만이 아니었다.

'드리머, 네가 공연하는 걸 봤는데 멋있는걸!'

문자를 한 사람은 드리머가 그토록 기다리던 화조란이었다.

예상외의 인물이 문자를 해서 놀란 드리머의 마음이 두근거렸는데, 이 두근거림은 긴장할 때의 두근거림이 아닌 놀람과 기쁨의 두근거림이었다.

'내일 잠깐 네가 머무는 곳에서 만날 수 있을까?'

드리머는 만나자는 말에 기뻐서 그러자고 답장을 하고 싶었지만, 내일은 그들이 그곳을 떠나는 날이어서 바로 답장하지 못했다.

드리머는 다른 생각을 하지 않고 곧바로 1층으로 내려갔다.

툭투툭툭. 드리머가 계단을 빠르게 내려오는 소리에 소파에 앉아서 텔레비전을 보던 부모님은 계단으로 고개를 돌렸다.

"드리머, 다치겠다. 계단을 내려올 때는 항상 조심하고 천천히 내려와야지."

드리머를 걱정하던 어머니가 말했다.

드리머는 고개를 빠르게 두 번 끄덕이고 바로 물어보았다. "내일 화조란이 만나자고 해서 그런데…" 그는 부모님이 허락을 해

마션의 가르침

줄지 몰라서 망설였다.

어머니는 드리머가 화조란을 만나고 싶어 하는 것 같아서 미소를 지으며 그의 머리를 쓰다듬었다. "알겠다. 내일은 조금 늦게 가야겠구나. 그래도 되겠죠?" 그녀가 아버지를 보며 물었다.

"그럼요. 드리머가 만나고 싶어 했던 사람인데… 우리도 오랜만에 만나는 거니까, 한번 보고 가요."

아버지도 드리머의 웃는 모습에 기분이 좋았다.

허락을 받은 드리머는 방으로 뛰어가서 문자를 보냈다. 그가 계단을 뛰어오른 탓에 숨을 쉬는 것이 힘들기도 했지만, 그의 급한 마음이 그의 손을 떨리게 했다. '이러면 안 되는데…' 그는 조급한 마음을 어떻게 할 수가 없어서 답장을 쉽게 입력할 수 없었다. "후우… 후우." 그는 조급한 마음을 없애는 것이 우선이라고 생각돼서 천천히 숨을 내뱉으며 떨리는 마음을 진정시키려고 했다. 겨우겨우 마음을 진정시킨 그는 답장을 보내는 것에 성공했고 화조란과 약속을 할 수 있었다.

떠나기 전에 마지막으로 연습을 해 보려고 했는데, 어머니가 올라왔다.

"어! 드리머. 연습을 하고 있었구나."

문손잡이를 잡고 있는 어머니가 방바닥과 침대 위를 보았다.

연습을 하려고 도구를 들고 있는 드리머는 가만히 서서 어머니를 보았다.

"내일 화조란을 만나야 해서 짐을 챙길 시간이 없을 거란다. 그러니까 미리 짐을 챙겨 놓고 쉬는 게 좋을 것 같구나."

드리머는 어머니의 갑작스러운 말에 곤란했지만, 화조란을 만나기로 해서 그녀의 제안을 선뜻 받아들였다.

드리머는 먼저 연습을 하려고 설치했던 도구들을 정리했고 어머니는 그의 옷이나 생필품들을 정리했다. 그가 어지른 것이 거의 없어서 정리는 빠르게 끝났다.

마션의 가르침

"어지른 것이 없어서 빠르게 끝났구나." 어머니가 가방을 방 밖으로 끌고 나가면서 말했다. "이제 쉬고 있으렴. 내일 화조란과 만나야지."

드리머는 베개를 베고 누웠다. '내일 화조란과 만날 수 있어.' 잠을 자려고 누운 그는 화조란과 만날 생각에 설레서 잠이 쉽게 오지 않았지만, 마음과 표정은 평화로웠다.

화조란과 만나는 날.

띵동! 누군가가 누른 초인종 소리가 드리머네가 머무는 집에서 울렸다.

드리머는 초인종을 누른 사람이 화조란인 줄 알고 시간을 확인했는데, 만나자고 한 시간보다 조금 이른 시간이어서 그녀가 아니라고 생각했다. '아직 만나자고 한 시간이 되지 않았네.' 그는 시간이 빨리 지나갔으면 하는 마음으로 텔레비전을 보았다.

"어? 조란이네요? 어서 와요."

어머니가 화조란을 반갑게 맞이했다.

"안녕하세요! 오랜만에 보네요."

여러 음료수가 담긴 종이 가방을 들고 있는 화조란이 안으로 들어왔다.

화조란이라는 말에 놀란 드리머가 모습이 보이지 않게 최대한 몸을 움츠려서 소파에 숨었지만, 그녀는 소파의 등받이 위로 보이는 그의 머리와 눈을 보고 웃었다.

"이거 받으세요." 화조란은 들고 있던 종이 가방을 어머니에게 주었다. "매일 저희가 얻어먹기만 해서 죄송하고 감사해요."

"호호! 아니에요. 음료수는 잘 마실게요."

어머니는 종이 가방을 냉장고에 넣었다.

"그래요. 그건 우리가 사 주고 싶어서 그런 거예요. 드리머도 잘 봐주기도 했고…"

마션의 가르침

아버지가 화조란에게 소파에 앉으라고 손짓하며 말했다.

화조란이 소파에 앉기 무섭게 어머니의 물음이 들렸다.

"뭐 마실래요?" 어머니는 냉장고 안을 보았다. "아니면 시원한 과일이라도 먹을래요?"

"그럼 과일로 괜찮을까요?"

화조란이 난감한 듯한 행동과 표정을 지었고 어머니는 그녀가 왜 그러는지 공감이 가서 웃으며 과일을 들었다.

냉장고를 보던 드리머는 냉장고에 있는 과일들이나 음료수들을 마음대로 먹어도 되는 건지 궁금했다. '우리가 저렇게 많은 과일이나 음료수를 가져왔었나?' 그는 마음대로 꺼내는 것이 마음에 걸렸다.

"드리머, 이번에는 뭘 했니?" 화조란이 드리머가 공연을 한 영상을 틀어서 보여 주며 물었다. "네가 공연한 것도 정말 멋진데, 다른 걸 했나 싶어서…" 그녀는 영상을 다시 한번 보았다.

드리머가 자랑스럽게 말했다.

"이번에는 수영을 해 봤어요! 아직 잘 못하지만…"

"처음인데 잘 못할 수도 있지… 그럼 이 공연은 처음부터 잘한 거였구나!"

화조란은 드리머를 놀리듯이 편하게 대했다.

드리머는 아니라며 크게 반응했고 머리를 긁적였다.

"농담을 항상 재미있게 반응하는구나?"

화조란은 드리머의 머리를 쓰다듬었다.

깎은 과일에 젓가락을 꽂아서 온 어머니가 식탁 위에 놓았다. "날이 덥죠? 시원한 과일부터 먹어요."

화조란은 더웠는지 과일을 하나 먹었다. "맛있어요!" 과일을 하나만 먹었는데도 그녀의 표정은 좋아 보였고 드리머네도 과일을 먹으면서 더위에서 벗어날 수 있었다.

과일을 어느 정도 먹고 젓가락을 내려놓은 화조란이 시간을 확

마션의 가르침

인하며 물었다.

"오늘 가신다고 하셨죠? 언제 가시는 건가요? 저 때문에 늦게 가시는데…"

"괜찮아요. 우리가 허락한 것은 오랜만에 보고 싶어서 그런 거니까요. 하하!"

아버지는 별걱정을 다 한다는 듯이 웃었다.

어머니도 눈을 깜박였다.

드리머는 화조란과 대화를 더하고 싶어서 쳐다보았고 무언가를 원하는 눈초리에 반응한 그녀가 그를 보았다.

"뭔가 말하고 싶은 게 있구나?"

"어…" 드리머는 막상 말을 하려고 하니까 무슨 말을 해야 할지 말문이 막혔다. "음…"

"그런데 이번에는 해수욕장에 안 왔나 보네요?"

화조란이 드리머의 말을 기다리는 동안 어머니가 물어서 그녀는 그를 보다가 어머니에게로 시선을 옮겼다.

드리머는 약간 아쉬웠지만, 말하고 싶었던 것을 어머니가 물어보아서 궁금증은 해결할 수 있다는 것에 만족하기로 했다.

"이번에 일을 하게 되었는데, 공부할 게 있어서 하다가 오느라 조금 늦었어요. 저도 그렇지만, 제 친구들도 그래서 다 같이 모이느라 조금 걸렸네요. 호호."

"아아… 그러면 콜유 단계를 마쳤나 보네요?"

"네. 저번에 만났을 때가 마지막이었다고 볼 수 있겠네요."

"좋은 일이 많았으면 좋겠어요."

부모님과 화조란은 자연스럽고 편안한 분위기에서 대화를 나누었고 드리머는 그런 분위기가 부러웠다.

갈 시간이 거의 다 되어서 화조란은 슬슬 자리에서 일어났다.

"오래 있지는 못했지만, 오늘 정말 즐거웠어요."

화조란은 드리머에게 마지막으로 인사를 했고 마당에서 배웅하

마션의 가르침

는 드리머네 가족에게 인사를 하다가 깜빡했던 것이 생각났다. "맞다! 가기 전에 주려고 했던 건데…" 그녀가 그에게 가방에서 꺼낸 어떤 상자를 주었다. "네 생각이 나서 이걸 구매했지! 내 선물이야!"

화조란의 선물에 부모님이 감탄하며 부럽다는 듯이 반응했다.

"이야! 드리머는 좋겠다!"

"드리머는 좋겠네? 매번 이곳에 올 때마다 선물을 받는 거 아니니? 후훗."

드리머는 선물을 내려다보았고 화조란은 친구와 연락을 주고받는지 팔찌를 보며 드리머네가 머무는 곳에서 멀어져 갔다.

드리머는 누군가가 떠나는 것이 슬퍼서 웃거나 말하지 않고 화조란의 뒷모습만 보았다. 그녀가 가끔씩 뒤로 돌아볼 때는 기뻤지만, 그 순간이 너무나도 짧았다.

"드리머, 이제 우리도 가자꾸나."

아쉬워하는 드리머가 마당 의자에 앉아 있는 동안 짐을 챙긴 부모님이 자동차에 짐을 실었고 어르신 부부는 그들을 배웅하려고 마당으로 나왔다.

"저희가 조금 오래 있었는데도 기다려 주셔서 감사해요."

"별말씀을요. 더 오래 있어도 괜찮으니, 신경 쓰지 않아도 돼요."

어르신 부부도 아이들을 키워 봤기에 드리머의 울먹이는 표정을 보고 곧 울음을 터뜨릴 거라는 것을 알았다. "드리머, 조심히 가렴." 그들은 더 말하지 않고 드리머네 가족이 자동차에 탈 때까지 보았다.

드리머는 울음이 나오면 창피할 것 같아서 꾹 참고 선물을 가지고 뒷좌석에 앉았다.

부모님은 마지막으로 어르신 부부에게 인사를 하고 창문을 닫았고 거울로 드리머가 자는지 확인했다.

마션의 가르침

자동차로 이동할 때 드리머는 거의 매번 잠을 잤는데, 이번에는 화조란이 준 선물을 가만히 지켜보고 있었다.

"드리머, 화조란이 보고 싶니?"

어머니는 드리머가 고개를 끄덕이는 모습을 거울로 살짝 보았다.

"너무 아쉬워하지 마렴. 그래도 연락을 할 수 있고 나중에 또 볼 수 있잖니? 올해는 바빠서 그랬다니까 내년에는 볼 수 있을지도 모른단다."

화조란의 선물에서 빛이 나는 것처럼 느껴져서 드리머는 빛나는 종이별을 받았을 때처럼 장치가 있는지 확인해 보았다. '장치가 어디에 있을까?' 화조란이 준 선물에는 당연하다는 듯이 장치가 없었다.

화조란이 준 선물은 동그란 모형의 받침대가 받치고 있었고 원형의 상자 내부에서 글씨가 나타났다.

'드리머, 네가 공연하는 모습을 보고 이것을 구매했단다. 네가 이 비밀을 알아내서 더 좋은 생각이 떠올랐으면 좋겠어. 힘내렴!'

글씨는 한 번에 다 나오지 못해서 상자 내부에 글씨가 다 차면 한 글자씩 지워지면서 새로운 글자가 나왔다.

"이것 좀 보세요!"

글씨가 신기해서 놀란 드리머가 화조란의 선물을 앞좌석으로 내밀어서 보여 주었다.

아버지는 운전을 하고 있어서 볼 수 없었지만, 어머니는 볼 수 있었다.

"응? 드리머. 여기에는 아무것도 적혀 있지 않은걸."

드리머는 이상해서 화조란의 선물을 가까이에서 보았는데, 글씨가 보였다. "글씨가 보이는데요?" 그가 다시 글씨를 보여 주려고 내밀었지만, 결과는 같았다.

드리머는 글씨가 다시 나타나려면 시간이 걸리는 것 같아서 몇

마션의 가르침

분 동안 내밀었지만, 글씨는 보이지 않았다.

'잠깐만, 비밀이라고 했는데… 혹시 이 글씨에 비밀이 있는 건가?'

비밀을 많이 보고 듣고 경험한 드리머는 화조란이 말한 것에 답이 있을 거라고 확신했다.

할아버지와 할머니의 집에 도착해서도 드리머는 선물에서 눈을 떼지 않았다.

차에서 내린 드리머는 선물에서 이상한 것을 발견했다. '어? 글씨가 안 보여!' 그는 바깥에서는 글씨가 안 보인다는 것을 알게 되었다.

부모님이 짐을 다 내리고 드리머를 불렀다.

"드리머, 짐을 집 안으로 가져가자구나."

"네!" 드리머는 선물이 망가지지 않게 짐 위에 잘 두고 짐을 집으로 가지고 갔다.

화조란과 만나고 오는 바람에 시간이 늦어져서 점심이 아닌 저녁을 먹고 쉬었다.

조용한 방 안, 침대 위에 누워서 벽에 기댄 드리머는 선물에 나오는 글씨를 보았다.

'지금은 글씨가 보이고 차에 있을 때도 보였는데, 바깥에서는 안 보였어. 왜 그럴까?'

드리머가 선물을 보며 고민을 하고 있을 때, 화조란에게서 연락이 왔다.

'드리머, 비밀을 벌써 알아낸 건 아니지? 올해는 같이 못 있었지만, 뭔가 네게 필요할 것 같은 것을 만들어 봤어!'

화조란은 모래로 해와 달 모형을 만든 것을 사진으로 찍어서 보냈다.

'해와 달? 나한테 해와 달이 필요했나?'

드리머는 선물을 가지고 밖으로 나갔다.

마션의 가르침

드리머가 마당으로 나가는 것을 보고 할머니도 밖으로 나왔다.

"어디가 답답한 거니?"

"네. 이번에는 이게 잘 풀리지가 않아요."

드리머는 손바닥에 있는 화조란의 선물을 보여 주었다.

할머니는 그것을 보고 환하게 웃었다.

"그건 아주 쉬운 문제일 거란다. 잘 생각해 보면 알 수 있지 않을까 싶구나." 할머니는 고개를 들고 달을 보았다. "달이 밝지 않니? 밝은 빛은 뭔가를 가릴 수도 있지."

"밝은 빛이요? 음… 밝은 빛이 가리는 게 아니고 우리의 눈에 가려지는 게 아닌가요?"

"허허. 드리머. 어떤 것이든 정답이 될 수 있을 거란다."

드리머는 할머니가 뭔가를 알고 있다고 생각해서 화조란이 보내 준 사진을 보여 주었다.

"이건 뭔가요? 이 선물을 준 화조란이 이게 나한테 필요할 거라고 했어요."

"해와 달은 서로 다르다고 알려졌지. 하나는 밝은 낮에 볼 수 있고 다른 하나는 밝은 밤에 볼 수 있으니까."

드리머와 대화를 나누다가 차가운 바람을 느낀 할머니는 그의 손을 잡고 안으로 들어갔다.

드리머는 그에게 도움을 줄 수 있는 친구들에게 물어보았다.

'이건 어떤 비밀이 있을까?'

드리머는 아인과 함께 엔타의 비밀에 대해서 푼 적이 있었기에 그녀가 알아낼 수 있을 것 같다고 믿고 싶었다.

'나는 잘 모르겠네. 사진으로만 봐서는 잘 모르겠어.'

'나도 그러네. 그건 우리가 만나서 봐야 할 것 같은데?'

'맞아. 그래야 될 것 같아. 여름 시기가 끝나기 전에 알아내면 좋겠지만, 알아내지 못하면 우리랑 같이 알아보자.'

드리머의 예상대로 되지는 않았지만, 그에게 도움을 주는 친구들이 있어서 든든했다.

"드리머, 이번에 들어간 꿈의 세계에서 공연을 한다고 들었는데, 어떤 것을 만들어 보는 건 어떠니?"

할아버지가 드리머에게 물었다.

드리머는 재미있을 것 같아서 표정이 밝아졌다.

할아버지는 드리머를 데리고 아버지와 함께 창고로 갔다.

집에 있는 창고보다 더 많은 물건들이 있어서 드리머는 놀라웠다.

"이게 다 뭐예요?"

"허허허. 드리머. 네 아버지가 무언가를 만드는 것을 좋아하는 것은 아마도 나를 닮아서 그런 게 아닐까 싶구나."

드리머가 재료들을 잡았지만, 뭘 만들어야 하는지 몰랐다.

"뭘 만들어야 하나요?"

"허허. 우리가 그걸 정하지 않았구나." 할아버지는 창고에 있는 물건을 들어 보며 상태가 어떤지 확인했다. "상태는 괜찮은 거 같으니까 마음에 드는 걸 한번 골라 보렴."

드리머는 공연할 때 더 추가할 만한 것이 무엇일지 생각하며 재료들을 보았다.

'공연에 추가하려면 어떤 것으로 해야 하지? 내가 하는 공연의 주제는 일상이야. 일상은 매일 재미있어야 하나? 재미있으려면 놀이 같은 것을 만드는 게 좋을 것 같고 진지한 것으로 가려면 숙제를 하는 것으로 해야 할 텐데…'

드리머는 이것저것 생각하면서 고른 재료들을 모아 놓았다.

'종이들, 상자들, 여러 가지 색의 필기도구, 자석들'이 있었다.

할아버지는 좋은 생각이 났는지 재료들을 가지고 집으로 갔고 아버지도 드리머가 모아 놓은 재료들을 들고 갔다. 드리머는 남은 재료를 가지고 그들을 따라갔다.

13
같이 만든 도구

할아버지와 아버지, 드리머는 한곳에 모여서 머리를 맞대고 어떤 도구를 만들지 생각했다.

"드리머가 하는 공연에 필요한 도구가 뭐가 있을까…"

할아버지는 무언가를 찾을 수 있을까 하여 아버지와 드리머가 들을 수 있게 혼잣말을 중얼거렸다.

아버지는 드리머가 어떤 공연을 한다는 것을 알고 있어서 어떤 것이 그에게 어울리는지 고민했다.

"나는 뭔가 멋지고 특이한 도구를 만들어 보고 싶어요!"

"멋지고 특이하면서 일상생활에서 사용할 만한 도구라…"

다 같이 고민을 하다가 좋은 생각이 떠오른 할아버지가 말했다.

"그렇다면 시계는 어떠니?"

"시계요? 어떤 시계요?"

드리머는 벽면에 걸려 있는 시계를 보았다.

할아버지는 아버지와 드리머에게 알려 주려고 종이와 필기도구를 가져와서 그가 생각한 것을 종이에 적고 그렸다.

아버지는 할아버지가 그린 그림의 틀만 보고도 감을 잡고 가져온 재료로 구상을 해 보았다.

같이 만든 도구

드리머는 종이를 보고 아버지가 구상하는 것을 보며 바쁘게 고개를 왔다 갔다 했다.

할아버지는 다 적고 그린 종이를 아버지와 드리머가 볼 수 있도록 내려놓았다.

"다 됐다. 이렇게 만들면 될 것 같구나."

"이걸 어떻게 해야 할지 천천히 생각해 봐야 할 것 같아요."

드리머는 생각보다 어려운 설계도에 당황스러웠다.

할아버지가 그리는 것을 보며 재료를 만지던 아버지가 만든 틀을 드리머에게 보여 주었다.

당황했던 드리머는 거의 다 만들어진 틀을 보고 신기해했다.

"이걸 벌써 만들었어요?"

"이렇게 만들어질 것 같아서 만들어 보았단다."

아버지는 웃으면서 틀을 완전하게 완성해 갔다.

할아버지는 드리머에게 설명을 하면서 어떤지 반응을 보았다.

"이건 평범한 시계가 아니란다. 재료에 따라서 어떻게 할지 달라지는 시계지."

"재료에 따라 달라지는 시계요?"

드리머는 할아버지가 그린 그림을 보며 설명을 들었다.

할아버지가 드리머에게 제안한 재료들은 드리머가 충분히 할 수 있는 재료들이었다. '얼음, 물, 자석' 등 일상에서 쉽게 구할 수 있는 것들이었다.

드리머는 쉽게 구할 수 있는 재료들이어서 안심이 되면서 고민이 되었다.

"혹시 다 해 보면 안 되나요?"

"그건 어려울 것 같구나. … 이건 한 번 하면 고치기가 어려워서 말이지."

할아버지는 아버지가 만든 시계 틀을 보았다.

아버지는 시곗바늘 모형으로 할 만한 재료를 가져와서 할아버

같이 만든 도구

지와 드리머에게 주었다.

　"이걸로 시곗바늘을 하면 괜찮을 거 같아요. … 드리머, 이걸로 시곗바늘을 한번 만들어 보렴. 잘 모르겠다면 저 시계를 보면서 해 보고 안 되겠으면 내가 도와줄게."

　뭔가를 만드는 아버지의 표정은 진지하면서도 즐거워 보였고 그런 모습은 할아버지에게서도 나타났다.

　드리머는 시곗바늘로 만들 재료를 한 손으로 잡고 다른 손으로는 시곗바늘 모양을 그리려고 할아버지가 가져온 필기도구를 잡았다. '시곗바늘은 어떻게 생겼더라?' 그는 평소에 시곗바늘을 자세히 보거나 생각해 본 적이 없어서 시곗바늘을 그리는 것에 어려움이 생겼다. '시곗바늘을 한번 봐야겠는데?' 그는 시계에 가까이 가서 시곗바늘을 자세하게 보았다. '시곗바늘이 생각보다 쉬운 게 아닌 거 같은데? 음… 음?' 그가 시곗바늘을 보이는 대로 그리고서 다시 자리로 갔다.

　할아버지와 아버지는 시곗바늘을 그리지도 않고 바로 만들었는데도 벌써 시곗바늘의 틀이 보이고 있었다.

　드리머는 할아버지와 아버지가 시곗바늘을 확인하지도 않고 그리지도 않으면서 잘 만드는 것이 놀라웠다.

　"어떻게 시곗바늘을 안 보고 만들 수가 있나요?"

　"그건 우리가 시곗바늘을 알고 있고 만들기를 많이 해 봐서 그렇단다."

　"아하. 그러면 나도 그렇게 할 수 있을까요?"

　"그럼! 많이 하다 보면 느는 거니까."

　할아버지는 드리머의 부러움의 눈빛이 귀여워서 반응이 컸다.

　드리머는 그렇게 되기를 바라며 미소를 지었고 시곗바늘을 그린 모양대로 천천히 잘라 보았다.

　'이렇게 하면 되겠지?'

　"드리머, 다치지 않도록 조심해서 해 보렴."

같이 만든 도구

아버지는 드리머가 자르기에 조금 힘이 들 것 같았지만, 도움을 주는 것 대신에 다치지 않게 옆에서 지켜보며 말을 걸었다.

드리머는 위험한 도구를 사용하는 만큼 신중하게 작업을 했다. '조심해야 해. 잘못하면 다치니까.' 작은 시곗바늘을 만드는 그의 호흡은 차분했다.

할아버지와 아버지는 드리머가 작업하는 것을 보며 어떻게 만들면 좋을지 서로의 의견을 말했다.

"드리머가 쉽게 할 수 있는 것들이긴 한데, 얼음보다는 자석이나 태엽으로 하는 건 어떤가요?"

"그러는 게 나을 거 같구나. 드리머가 하기 쉽고 보관하기도 쉬울 거니까… 그걸로 해야겠네."

아버지는 할아버지의 의견을 묻고 괜찮다는 반응에 자석과 태엽을 가지러 창고로 갔다.

드리머는 할아버지와 아버지가 의견을 나누거나 창고에 가더라도 시곗바늘을 만드는 것에 집중하느라 신경 쓰지 않았다.

자석과 태엽을 가지고 온 아버지는 그것 중에 하나를 할아버지에게 주며 물었다. "아무래도 자석이 나을 것 같아요. … 드리머가 자석을 가지고 있어서 활용하기에도 좋고 공연할 때 더 신기하게 보일 수 있을 것 같아요."

"그러면 자석으로 해 보자."

할아버지는 아버지와 자석의 크기와 위치를 정하기 시작했다. 자석이 멀리 떨어져 있어도 자석의 기능이 있었기에 쉬울 거라는 생각을 했지만, 자석의 모양과 크기가 다양해서 크기를 고정하기는 어려웠다.

시곗바늘을 다 만든 드리머는 시곗바늘을 높이 들었다.

"내가 다 만들었어요!"

자석을 어떻게 할지 고민하는 할아버지는 드리머가 만든 시곗바늘을 보고 칭찬해 주었다.

같이 만든 도구

"허허. 잘 만들었구나."

아버지는 칭찬을 하면서도 드리머가 만든 시곗바늘을 다듬는 것을 알려 주었다.

"드리머, 잘 만들었구나. 이제 이 겉을 한번 다듬어 볼 수 있겠니?"

드리머는 아버지가 시곗바늘을 들고 어디를 다듬어야 할지 알려 주어서 그 부분들을 보며 어떻게 다듬어야 하는지 숙지하려고 했다.

다 알려 주고 드리머에게 시곗바늘을 준 아버지는 할아버지와 함께 제작한 틀에 자석을 대면서 어떤 자석을 어디에 둘지 정해 보았다.

"밑에 받침대가 있으니까, 작은 자석을 가운데 놓는 것은 어떤가요?"

"음… 그 방법도 좋을 거 같지만… 뭔가 아쉽단 말이지."

할아버지는 아버지의 의견이 좋았지만, 뭔가 더 특별한 시계를 만들어 주고 싶어서 고민이 되었다.

드리머는 시곗바늘을 다듬는 것이 만드는 것보다 더 어렵고 위험해서 긴장을 늦추지 않았다. '조심해야 해.' 긴장한 그가 신중하게 작업을 해도 중간중간 위험한 순간은 있었다. '휴우…' 그는 다행이라고 생각하면서 마음을 졸였다.

아버지는 드리머가 위험했던 순간을 보고 주의를 주며 방법을 알려 주었다. "드리머, 이 작업을 할 때는 도구에 손을 가까이 대면 위험하니까… 이렇게 작업을 할 곳에서 먼 곳을 세게 잡아서 고정을 시킨 뒤에 천천히 작업을 하면 덜 위험할 거란다."

아버지의 설명을 들은 드리머는 설명을 해 준 대로 해 보려고 시곗바늘을 잡고서 도구를 잡았다.

아버지는 드리머가 도구를 들고 하려는 모습을 보고 위험할 것 같아 보였다.

같이 만든 도구

"그리고 드리머, 작업을 할 부분이 잘 안된다고 해도 너무 힘을 세게 주면 도구가 반대쪽 손으로 가서 다칠 수 있으니까, 조심해야 한단다."

"네." 드리머는 설명과 주의점이 많아서 머리가 복잡했다. '괜찮아 잘할 수 있어.' 머리가 복잡해서 어지러운 그는 마음을 차분하게 하며 머리를 비웠다.

사용할 자석을 정한 할아버지와 아버지는 빠르게 부품을 만들었지만, 완성하지는 않았다.

드리머는 시곗바늘을 다 다듬어서 아버지에게 검사를 받으려고 내밀었다.

"이 정도면 되나요?"

아버지는 드리머의 물음에 자세하게 보며 검사했다.

"흠… 이 정도면 잘했구나. 약간 삐져나온 곳이 있는데, 이 부분은 어떻게 할 거니?"

아버지가 가리킨 부분을 드리머가 보았다. "어! 정말로 조금 삐져나온 곳이 있네요." 잘했다는 말에 신난 그는 그것을 직접 하기로 했다. "그건 내가 직접 해 볼게요!"

아버지는 고개를 끄덕이며 신이 난 드리머에게 시곗바늘을 마무리하라고 주었다.

드리머는 마무리하는 작업이어서 마음 편히 작업할 수 있었고 모두가 마무리를 지었다.

할아버지와 아버지는 틀을 완성했고 드리머는 시곗바늘을 완성했다.

"이 시곗바늘은 어떻게 하면 되나요?"

드리머가 시곗바늘을 돌려 보며 물었다.

아버지는 본인이 만든 시곗바늘은 드리머에게 주고 할아버지가 만든 시곗바늘을 들고 설명했다.

"시곗바늘은 우리가 저기에 있는 시계처럼 만들면 되는 거란

같이 만든 도구

다."

"그러면 시곗바늘을 고정시키면 되는 건가요? … 그러면 시곗
바늘은 어떻게 움직이는 건가요?"

시곗바늘을 고정시켰을 때의 모양대로 뭉친 드리머가 시침을
움직이면서 시곗바늘의 움직임을 추측해 보았는데, 시곗바늘은 그
가 생각한 대로 움직이지 않았다.

'생각대로 움직이지는 않네.'

아버지는 드리머가 생각에서 빠져나올 때까지 기다렸고 할아버
지는 잠시 목을 축이러 물을 마시러 갔다.

소파에 앉아서 할머니와 대화를 나누던 어머니는 물을 마시러
가는 할아버지를 보았다.

"다 끝난 건가요?"

"아직 끝나진 않았지. 허허"

즐거운지 눈가에 주름이 지어진 할아버지는 부엌으로 갔다.

어머니는 할아버지의 즐거워하는 모습을 오랜만에 보는 것 같
아서 웃음이 나왔다.

"아버님의 밝은 모습을 오랜만에 본 것 같아요."

"뭘 만드는 것을 워낙 좋아하니… 전에 드리머에게 장난감을
만들어 주었을 때도 얼마나 좋아하던지."

"호호. 아버님을 위해서라도 뭔가를 만들어 달라고 해야겠어요."

어머니는 할머니와 농담이 섞인 대화를 하였다.

시곗바늘을 바닥에 놓은 드리머가 할아버지와 아버지가 만든
틀을 보았다.

"이걸 조립하면 되는 건가요?"

"그렇단다. 네가 이것들을 만들기에는 어렵고 힘들 것 같아서
미리 만들어 놓은 거니까. 만들기에 조금 더 능숙해지면 혼자서
만들어 보렴."

"네!" 드리머는 틀을 만들어 놓은 것을 하나씩 들며 맞는 것을

같이 만든 도구

찾아보았다. '이게 맞는 건가?'

아버지는 드리머가 헤매더라도 알려 주지 않고 그가 하는 것을 보았다.

컵에 물을 따라서 가져온 할아버지는 잠시 쉬려고 소파에 앉아서 물을 마시며 할머니와 어머니와 대화를 나누었다.

고민하는 시간은 생각보다 빠르게 지나갔고 대략 한 시간 정도가 지나서 시계의 큰 틀을 완성시킨 드리머는 나머지 틀로 어떻게 해야 하는지 또다시 고민에 빠졌다.

시계의 틀은 아직 완성된 것이 아니어서 아버지가 드리머에게 말했다.

"드리머, 시계는 아직 완성된 것이 아니어서 뒤를 막으면 안 된단다."

자석을 놓아야 하는 곳을 조립하는 드리머가 아버지의 말을 듣고 고개를 끄덕였지만, 신경이 온통 조립하는 곳에 쏠려 있어서 아버지의 말은 잠깐 지나갈 뿐이었다.

조립하는 드리머의 모습을 보는 아버지는 드리머가 그의 말을 잘 기억하지 못할 거라고 생각하고 옆을 지켰다.

대화를 하던 할아버지와 할머니, 어머니가 왔다.

할아버지는 앉았었던 자리에 앉았고 서서 밑을 내려다보는 할머니와 쭈그려 앉은 어머니는 저녁으로 무엇을 하는 게 좋을지 물었다.

"어떤 게 먹고 싶니?"

"오늘 저녁은 만드느라 힘을 썼으니까, 힘이 나는 음식이 좋으려나?"

할머니는 웃으면서 부엌으로 갔다.

조립을 하던 드리머는 무엇을 먹을지 대답하려고 생각하느라 잠시 멈추었다. "어…"

아버지는 드리머의 머리가 복잡할 것이라고 생각해서 대신 대답했다. "어떤 것이든지 다 맛있을 거 같아요." 그는 대답을 하고서 어머니와 부엌으로 갔다.

할아버지는 부모님의 다정한 모습을 보고 흐뭇했고 드리머가 다치지 않게 아버지를 대신해서 옆에서 지켜보았다.

저녁이 다 되어서 부모님이 드리머에게 왔을 때, 모형을 다 만든 그가 양손을 위로 쭉 뻗으며 좋아했다. "와아! 틀을 다 만들었어요!" 그는 원하는 것을 얻은 듯이 행복한 표정을 지었다.

드리머가 만든 틀을 아버지가 살펴보는데, 시계 모형의 뒤쪽이 막혀 있었다.

"드리머, 뒤쪽을 막은 거니?"

기뻐하며 좋아하던 드리머는 아버지의 말에 깜짝 놀랐다. "맞다. 만들다 보니 뒤를 덮어 버렸어요." 그는 당황해서 어떻게 해야 하냐는 표정을 지었다.

"드리머, 우선 저녁을 먹자구나. 저녁을 먹고 나서 하는 게 어떻겠니?"

어머니가 드리머를 좋게 설득했다.

드리머는 다시 해야 한다는 것에 머리가 아파서 우선 저녁을 먹는 게 나을 것 같았다.

할아버지는 드리머를 데리고 부엌으로 갔다.

저녁을 먹고 잠시 쉬는 드리머는 만들던 것을 방으로 가져갔다. '내가 이걸 다 만들 수 있을까?' 벽에 기댄 그는 시계의 틀을 둘러보며 망설였다.

고민이 깊은 밤은 유독 시간이 길게 느껴지는 것 같았고 생각을 하던 드리머의 눈은 저절로 감겼다.

'내가 이걸 할 수 있을 거야. 자석을 넣어야 한다고 했으니까, 이걸 넣고 뒤를 닫으면 돼. 그런데 바늘은 어떻게 움직이는 거지?'

85

같이 만든 도구

시계 틀을 잡고 고민하다가 잠들어서 드리머는 그것을 만드는 꿈을 꾸었다.

'자석을 같은 극으로 하면 움직이지 않을 것 같은데… 그러면 다른 극으로 하면 어떨까?'

드리머는 꿈에서 신중하게 작업을 진행했다. 꿈에서의 그는 작업을 할 때 긴장을 하지 않아서 이것저것 하는 것에 두려움이 없었지만, 그는 그것을 느끼지 못했다.

'아무래도 같은 극으로 하는 건 아닌 거 같아… 차라리 얼음으로 하는 게 나을 수도 있을 것 같아.'

꿈속에서 시계 틀을 완성시킨 드리머가 좋아하면서 잠에서 깼다. "아야…" 그가 잠에서 깨면서 팔과 다리를 쭉 뻗는 바람에 벽에 부딪쳤다. '꿈이었네.' 그는 꿈이라는 것에 아쉬워서 한숨을 내쉬었다. "후우…"

드리머의 방 앞을 지나던 어머니가 방문을 슬며시 열었다. "드리머, 무슨 일이 있니?" 방 불이 꺼져 있어서 그가 잔다고 생각한 그녀가 조용히 물었다.

"음? 아니요." 드리머는 하품을 하고서 대답했다. "잠깐 잠이 들었나 봐요."

"후후. 만드느라 힘들었구나. 잠이 깬 김에 잘 준비를 하고 오는 게 나을 것 같구나."

어머니는 몸이 무거운 드리머의 몸을 일으켰다.

"상쾌해서 잠이 다 달아나 버렸네."

드리머는 상쾌해진 기분으로 꿈에서 완성한 시계를 완성해 보려고 바닥에 앉았다.

'꿈에서 시곗바늘에 자석을 달거나 자석에다가 시곗바늘을 놓으면 안 되었으니까, 평범한 나무나 판으로 하는 게 좋을 것 같아.'

드리머가 시계 안쪽을 만들기 전에 깜빡했던 것이 있었는데, 그가 막아 놓은 뒷면을 열어야 하는 것이었다. '이걸 열어야 했

같이 만든 도구

지?' 그는 당황하지 않고 꿈속에서의 모습처럼 덤덤했다. '생각보다 안 열리는 거구나.' 그가 손으로 열지 못해서 도구가 있는지 창고로 가려고 1층으로 갔는데, 모두 방에 있어서 1층에는 아무도 없었다.

'창고로 가려면 밖으로 나가야 하는데…' 현관문을 살짝 열어서 밖을 보는 드리머는 원래 살던 집이 아닌 곳에서 혼자 있으니까, 평범한 밤이 약간 무서웠다. '아무도 없겠지?' 그는 무서워서 주위를 살핀 뒤에 마당으로 나갔다.

저벅저벅. 조용한 밤, 드리머의 발소리만 조용하게 들리는 곳에서 그의 심장은 요동쳤다.

'아무도 없을 거야. … 아무도 없어.'

드리머는 불안해서 속으로 혼잣말을 하며 마음을 달랬다.

끼익. 소리가 나지 않는 밤에 혼자 있어서 긴장한 상황에서 듣는 소리는 평소보다 몇 배가 되었다.

'깜짝 놀랄 뻔했네.' 드리머가 마음을 추스르고 문을 활짝 열어서 안으로 들어갔는데, 불이 꺼진 창고로 어떠한 빛도 들어오지 않아서 아무것도 보이지 않았다.

드리머는 위험할 수 있어서 목걸이로 주위를 밝혔다. '아까 봤던 거 같은데…' 시계의 틀 재료를 꺼낸 곳으로 가서 시계의 중간에 넣을 재료를 찾으려고 뒤적였다.

목걸이가 목에 걸려 있어서 따로 들지 않아도 되었지만, 몸을 움직일 때마다 흔들려서 보기에는 불편했다.

'음… 목걸이가 움직여서 한곳을 비추지를 못하네.'

드리머는 목걸이를 고정시키려고 주위를 살피다가 서랍 모서리나 기둥에 걸어 놓는 것이 가장 좋을 것 같다고 생각했다. '여기에 두는 게 좋겠다.' 그는 목걸이를 기둥에 걸어 놓고 그림자가 생기지 않게 잘 피해서 재료들을 뒤적였다.

끼익. 드리머가 열심히 찾고 있는데, 창고 문이 열렸다.

같이 만든 도구

놀라서 눈을 동그랗게 뜬 드리머는 몸을 숙여서 최대한 안 보이도록 숨었다.

"드리머, 뭐 하고 있는 거니? 허허." 창고로 들어온 할아버지는 드리머의 모습을 보고 웃었다. "숨바꼭질을 하고 싶었던 거니?" 그는 드리머가 숨바꼭질을 원해서 온 것이 아닌 것을 알았기에 농담을 했다.

"아니에요. 시계를 완성시키고 싶어서 재료를 찾아보고 있었어요."

"시계?" 할아버지는 드리머가 찾고 있는 재료를 추측해서 들었다. "혹시 이걸 찾고 있는 거니?"

드리머는 찾고 있던 나무판자를 찾아서 기분이 좋았다. "네! 내가 찾고 있던 재료예요." 그가 나무판자를 양손으로 받아서 들었지만, 나무판자가 커서 앞을 다 가렸고 이동하는 것에 방해가 되었다.

툭. 툭. 드리머가 들고 있는 나무판자가 이곳저곳에 부딪히면서 소리가 나서 할아버지는 그가 들고 있는 나무판자를 들어 주었다.

"그렇게 가면 다칠 수 있고 재료가 망가질 수 있으니까, 내가 들어 주마."

할아버지가 나무판자를 들고 가서 드리머는 목걸이를 들어서 길을 비추었고 어떻게 알았는지 물었다.

"내가 여기에 있는 줄 어떻게 알았어요?"

"잠깐 1층으로 내려갔는데, 창고에서 소리가 나서 와 봤구나. 허허허. 누가 들어오지는 않겠지만, 혹시라도 누군가가 들어왔거나 물건들이 쓰러졌을까 봐 확인하러 왔지."

"아… 창고에서 나는 소리가 1층까지 들려요?"

드리머는 창고에서 나는 소리가 1층까지 들린다고 해서 창고의 벽이 얇은 것인가 걱정이 됐다.

할아버지는 드리머와 집으로 돌아갔다.

같이 만든 도구

잠을 잔 드리머는 졸리지가 않아서 시계를 완성하려고 했지만, 할아버지는 잠을 자야 해서 졸음이 왔다. "하암…"

만드는 것에 집중하는 드리머가 하품을 하는 할아버지에게 말했다.

"졸리면 들어가서 쉬세요!"

"졸리긴 하지만, 괜찮단다. 네가 잘 때까지 여기에 있어야지."

할아버지의 눈은 졸림으로 가득해 보였지만, 잠을 잘 것처럼 보이지는 않았다.

만드는 동안 드리머는 잠이 오지 않았고 눈도 번쩍였다. '오늘 잠을 많이 자서 그런가? 잠이 안 오네.' 그는 시곗바늘을 만들면서 사용했던 도구로 나무판자를 동그랗게 잘랐다. "이 정도면 되겠죠?" 시계 틀 안쪽에 동그란 나무판자를 넣은 그가 할아버지에게 물었다.

"그렇게 하면 된단다." 할아버지는 드리머가 왜 동그란 나무판자를 만드는지 궁금했다. "그런데 드리머. 그건 왜 만들고 있는 거니? 낮에 네 아버지가 다 만들어 주지 않았었니?"

"네. 그런데 자석을 가운데에 두면 시곗바늘이 안 움직이거나 계속 움직일 것 같아서 나무판자로 해 보려고 해요."

"허허! 드리머, 네가 생각한 것이 맞지만, 네 아버지가 만든 틀도 아주 괜찮은 거란다. 아까 설명을 하지 않았나 보구나."

할아버지는 드리머가 시계 안쪽 틀의 비밀을 모르는 것 같아서 아버지가 만든 틀과 시곗바늘을 들어서 잘 보라고 손가락으로 가리켰다. 드리머가 시곗바늘과 틀을 집중해서 보고 있어서 잡고 있던 시곗바늘은 점점 바닥으로 떨어졌다.

드리머는 자석에 붙지 않는 시곗바늘에 신기했다. "자석인데 시곗바늘이 안 붙네요?" 그가 신기해하며 말하는데, 시곗바늘이 자석으로 만든 것이 아니라는 것을 알았다. "맞다. 시곗바늘은 자석이 아니고 나무로 만든 거였죠?"

같이 만든 도구

할아버지는 환한 미소를 지었다.

"시곗바늘에 자석을 붙여도 되고 붙이지 않아도 되지."

드리머는 할아버지와 아버지의 계획을 듣고도 이해하지 못했다.

"시곗바늘에 자석을 붙이면 자석이 붙어서 움직이지 않을 거 같은데… 어떻게 하면 움직이게 할 수 있나요?"

"시곗바늘에 자석을 붙이려면 판을 자석이 아닌 나무로 해야 할 거고 시곗바늘과 판을 자석으로 하지 않으려면 자석을 이용한 태엽으로 하는 것도 괜찮지. 그래서 우리는 태엽을 이용하려고 했단다."

"자석을 이용한 태엽이라니… 정말 신기하네요." 드리머는 시곗바늘과 판을 뭉친 뒤에 판의 뒤쪽을 보았다. '이곳에 태엽을 놓는다는 거지?'

할아버지는 시간이 늦어서 드리머에게 어떤 것으로 할지 물어보았다.

"드리머, 어떤 것으로 하고 싶니?"

"음… 태엽으로 하는 게 가장 신기할 것 같아요!"

"그렇다면 오늘은 시간이 늦었으니까, 다음에 하자구나. 아버지랑 같이하면 더 빨리 끝날 거니까."

"네!" 드리머는 재료들을 한곳에 잘 놓았고 할아버지는 잠을 자러 방으로 갔다.

'자석으로 이용한 태엽이 어떤 건지 궁금하네.' 베개를 베고 누운 드리머는 자석을 이용한 태엽이 어떤 건지 궁금해서 잠이 오지 않았다. '자석으로 만든 태엽이면 자석으로 시곗바늘을 움직이게 할 수 있는 건가?' 생각이 많은 그의 머릿속은 그를 쉽게 잠들지 못하게 했다.

설레는 마음이 가득한 밤은 좋으면서도 힘든 시간이었다.

"드리머가 자나 보네요."

같이 만든 도구

"어제 아버지도 늦게 잠든 것 같더라."

"무슨 일이라도 있었나요?"

어머니의 물음에 할머니가 말했다.

"무슨 일이라고 할 수 있는지는 모르겠다만… 드리머가 어젯밤에 자다가 깨서 같이 있었던 것 같구나."

"그래서 드리머랑 아버지가 늦게까지 잠에서 깨지 못하고 있나 보네요."

할머니와 부모님은 대화를 하며 1층으로 갔다.

어제 늦게 잠이 든 드리머는 그들의 대화 소리가 들려도 잠에서 깨지 않고 곤히 잠을 잤고 유독 이번 여행에서 꿈을 많이 꾸었는데, 전날에 늦게 잠을 자서 그런지 꿈을 꾸지 않았다.

잠에서 깬 할아버지가 1층으로 내려갔다.

"일어나셨어요?"

"허허. 오랜만에 늦게 일어나는 거 같구나."

"드리머랑 얼마나 오래 있었으면 늦게 일어난 거예요?"

할머니는 할아버지가 평소보다 훨씬 늦게 일어난 것에 대해 언급하며 재미있다는 행동을 취했다.

그들이 대화를 나누다가 드리머와 함께 갈 만한 곳이 있을지 얘기가 나왔다.

"드리머를 데리고 어디 갈 만한 곳이 없을까요?"

"이 근처에 언덕이 있긴 한데… 그곳으로 가 보는 건 어떠니?"

"이 근처에 언덕이라면… 전에 갔었던 곳인가요?"

어머니는 아버지와 같이 갔었던 언덕을 떠올렸다.

마을에서 조금만 올라가면 있는 언덕으로 가는 길이 완만해서 어린아이도 쉽게 올라갈 수 있는데 마을이 보이고 멀리까지 보여서 마을 사람들이 자주 찾는 곳이다.

"드리머, 이곳에 올라오니까 어떠니?"

같이 만든 도구

드리머의 손을 잡고 의자에 앉은 어머니가 물었다.

"기분이 좋아요. 마치 평화로운 곳인 거 같아요. 여름 시기여서 그런지 길거리에 사람들이 많이 없고 마당에 있는 모습들도 좋고 솔솔 부는 바람이 시원해요."

드리머는 시원한 바람을 만끽했다.

그 마을에 특이한 것이 있다면, 대형 시계탑이 있는 것이었다.

"저 시계는 뭔가요? 전에 본 적이 없는 거 같은데…"

"저건 이곳에서 관리하는 시계란다. 저 시계는 이 언덕에서만 보이는 건데 이곳에 올라왔을 때 목걸이나 팔찌를 이용하지 않더라도 시간을 확인할 수 있게 한 것이란다."

"팔찌랑 목걸이로 시간을 확인할 수 있는데, 왜 저걸 설치한 건가요?"

"그건 이곳에서 여유와 자유를 마음껏 느낄 수 있게 하기 위함이란다." 어머니는 시계탑을 가리켰다. "더 신기한 것은 저것을 관리하는 사람들이 있는데, 그중에 한 명이 할아버지란다."

"오! 할아버지가 저 큰 시계를 관리하는 건가요?"

"그렇단다. 그래서 시계에 대해 잘 알고 있단다."

드리머는 할아버지가 관리한다는 시계탑에 신기해하며 일어나서 시계를 보았다. '그래서 어제 할아버지가 시계에 대해 잘 알려 준 거구나.' 그는 어젯밤에 있었던 할아버지와의 대화를 기억했다.

집으로 가자마자 드리머가 한 것은 할아버지에게 가는 것이었다. "할아버지!"

할아버지를 찾는 드리머의 목소리를 들은 그가 드리머를 보았다. "왜 그렇게 나를 찾는 듯이 부르는 거니? 허허." 그는 드리머가 그를 찾는 것에 기분이 좋았다.

"방금 나갔다가 큰 시계를 보았어요!" 드리머는 시계가 있는 위치를 손가락으로 가리켰다. "그 시계를 할아버지가 관리하고 있다고 들어서요!"

같이 만든 도구

할아버지는 그가 맡고 있는 역할을 드리머가 대단하다는 듯이 보아서 뿌듯했다.

"그랬구나. 시계는 정말 정교하지. 하나라도 잘못된다면 모두가 망가지니까."

"그러면 전에 말했던 자석 태엽도 보여 줄 수 있나요?"

할아버지가 드리머에게 자석 태엽을 보여 주기 위해 재료를 하나씩 가져오는데, 중요한 것들이 보이지 않았다.

"다른 재료들을 어디에 두었는지 알고 있니?"

"아!" 드리머는 방 한곳에 둔 재료들을 가지러 계단을 올라갔다. '내가 방에다가 두었어.' 그는 방에 둔 재료를 가지고 밑으로 허겁지겁 내려갔다. '자석 태엽은 자석을 대면 알아서 움직이는 걸까?' 그는 자석 태엽에 대한 환상을 가지고 할아버지에게 갔다.

할아버지는 이미 큰 자석을 태엽 모양으로 자르고 있었다.

"벌써 만드는 건가요?"

드리머는 가져온 재료가 망가지지 않도록 재료들을 살포시 바닥에 두며 자석 태엽을 만드는 것을 구경했다.

드리머에게 자석 태엽을 만드는 것은 정말 복잡하고 어려워 보였다. '저걸 어떻게 만들 수 있을까? … 나는 하나만 만들어도 며칠이 걸리겠는데?' 태엽의 톱니바퀴를 하나하나 만드는 것을 보는 그는 작은 톱니를 계속 보고 있으니까 잘되고 있는 건지 헷갈려서 눈을 감고 고개를 저었다.

눈을 뜬 드리머는 할아버지가 어떻게 일정하게 톱니바퀴를 자르는지 궁금했다.

"어떻게 그렇게 일정하게 자를 수 있나요?"

"이 자석에는 비밀이 있단다."

할아버지가 신중하게 자석을 자르며 말했다.

드리머는 할아버지가 너무나도 신중한 표정을 지어서 그의 말을 믿었다.

같이 만든 도구

"어떤 비밀인가요?"

"그건 끝나면 알려 주마."

할아버지는 자석을 자르다가 멈추고 함박웃음을 지었다.

어머니는 할아버지와 드리머가 목이 마를 것 같아서 마실 것을 가지고 왔다.

"이것 좀 마시면서 하세요. … 드리머도 마시렴."

드리머는 할아버지가 자석 태엽을 만드는 것을 보며 마실 것을 잡으려고 해서 어머니가 주의를 주었다.

"드리머, 마실 것을 잡을 때에는 쏟을 수도 있으니 마실 것을 보고 잡아야 한단다."

드리머가 어머니의 눈을 보며 끄덕이고 마실 것을 잡고 마시는데, 밖에 나갔다가 온 지 별로 안 돼서 그런지 마실 것이 거침없이 들어갔다.

할아버지가 태엽 하나를 만들어서 드리머에게 주었다.

"이게 우리가 사용할 태엽 중 하나란다."

드리머는 톱니바퀴의 끝이 날카로워 보여서 조심스럽게 손가락을 대 보았다. '이게 날카로워 보이는데…' 그가 톱니바퀴 끝에 손가락을 대었지만, 뾰족하다는 느낌은 들지 않았다. '응? 되게 날카로워 보였는데, 안 따갑네?' 그는 톱니바퀴에 손가락을 아무리 문질러도 상처가 나지 않아서 신기하면서도 이상했다.

"드리머, 톱니바퀴가 아무리 안전한 것 같더라도 그렇게 하다가 다칠 수 있으니. 많이 하지 않는 것이 좋겠구나." 할아버지는 새로 만든 톱니바퀴를 드리머에게 주었다. "이 두 개의 자석 태엽이 붙지 않도록 조심해서 가지고 있으렴."

드리머는 붙지 않게 하라는 말에 가지고 있던 자석을 멀리 두고서 새로운 자석을 받았다.

"이 두 자석은 서로 붙는 건가요?"

"그렇단다. 처음에 준 자석이 가장 큰 자석인데, 강력한 자력이

같이 만든 도구

있고 그 다음 것은 두 번째로 크고 강력하단다."

"아하. 자력도 보고 크기도 봐야 하나 보네요?"

"그렇단다. 일정하게 움직이고 부드럽게 움직일 수 있게 하기 위함이라고 하고 싶구나."

할아버지는 마지막 자석 태엽까지 만들어서 드리머에게 주었고 드리머는 자석들이 붙지 않게 바닥에 나열해 놓았다.

자석 태엽으로 시계를 만드는 과정만 남았을 때, 아버지가 와서 자리에 앉았다.

"이제 이것들로 시계를 만들면 되겠구나."

아버지는 자석 태엽을 고정시킬 수 있는 막대를 가져왔고 태엽 중 가장 큰 것에다가 막대를 넣고 드리머에게 보여 주며 한번 해 보라고 했다.

드리머는 아버지가 만들어서 가져온 막대를 들고 두 번째로 큰 태엽을 들었다. '태엽 가운데에 있는 구멍에다가 이 막대를 넣으면 되지?' 그는 태엽 가운데에 있는 구멍에 막대를 넣으려고 손을 떨면서 집중했다.

할아버지와 아버지는 드리머의 떠는 손을 보고 웃음이 나왔다.

할머니와 어머니는 소파에 앉아서 대화를 나누다가도 그들이 시계를 만드는 모습을 살펴보았다.

"드리머가 신이 난 것 같아요. 아버님 덕분인 거 같아요."

"드리머만 신난 것은 아니란다. 하하하!" 할머니는 할아버지를 보았다가 신이 난 모습에 말을 아끼고 어머니를 보았다. "이곳에는 드리머가 좋아할 만한 곳이 없어서 어딜 갈 수가 없겠구나."

"괜찮을 거예요. 항상 오기 전에 바닷가를 갔다가 와서 드리머는 괜찮아할 거예요."

"그러면 다행이구나."

할머니와 어머니가 텔레비전을 틀어 놓고 대화를 하는데, 텔레비전에서 바닷가나 산을 보여 주면서 그들이 갈 수 없는 곳을 집

같이 만든 도구

안에서 느낄 수 있게 해 주었다.

자석 태엽에 막대를 넣은 드리머는 태엽 두 개를 들었다.

"이제 어떻게 하면 되나요?"

아버지는 태엽들을 하나씩 놓으며 잘 돌아가는지 확인했고 잘 돌아가서 시침과 분침, 초침을 연결했고 드리머는 시계가 완성되어 가는 것을 꼼꼼히 보았다.

아버지는 태엽과 시곗바늘들이 연결된 판을 시계 틀 안에다가 고정시키고서 뒤를 닫았고 드리머에게 완성된 시계를 보여 주었다.

드리머가 시계를 보았는데, 시곗바늘들은 움직이지 않았다.

"시계가 작동하지 않아요."

할아버지는 준비해 두었던 자석을 드리머에게 주었다.

자석을 받은 드리머가 시곗바늘에다가 자석을 가까이 대고 이리저리 움직여 보았지만, 시곗바늘들은 움직이지 않았다.

"이거 움직이지 않아요."

"허허. 그건 시곗바늘에 자석을 고정시키지 않아서 그런 거란다. 우리가 자석으로 만든 것이 무엇인지 기억하니?"

드리머는 할아버지가 낸 문제에 대한 답을 생각해 보았다. '우리가 자석으로 만든 게 뭐였지?' 그는 답이 바로 생각나지 않아서 손가락으로 턱을 쓸며 고민에 빠졌다.

"내가 만든 것이 무엇이었지?"

할아버지는 문제의 답을 알아낼 수 있는 실마리를 알려 주려고 드리머에게 질문을 하며 답을 직접적으로 알려 주지 않았다.

드리머는 할아버지의 물음에 답을 하였다. "할아버지는 자석 태엽을 만들었어요!" 그는 자석 태엽이라고 대수롭지 않게 말했다.

아버지는 드리머가 답을 말하고도 좋아하지 않아서 그가 아직 눈치채지 못했다는 것을 알 수 있었다.

"드리머, 네가 말한 것 중에 답이 있는데, 모르겠니?"

같이 만든 도구

"어? 아! 자석 태엽인가요?"

"그렇단다, 드리머. 자석으로 된 것은 태엽밖에 없단다."

할아버지는 태엽이 있는 곳을 가리켰다.

드리머는 시계 앞부분을 잡고 뒷부분을 보았다. '이곳에 자석 태엽이 있으니까, 이곳에 자석을 대면 움직이는 건가?' 그는 떨리는 마음으로 자석을 대었고 이리저리 움직여 보았다.

드리머가 자석을 대고 움직여서 시곗바늘들이 움직였지만, 정작 그는 그것을 확인하지 못했다.

"시계가 움직이고 있는 건가요?"

"그렇단다. 네가 그렇게 들고 있어서 볼 수가 없겠구나."

할아버지는 드리머가 볼 수 있도록 시계를 잡을 수 있게 해 주었고 자석을 넣을 수 있게 그의 손바닥과 시계 사이에 틈을 만들었다.

드리머는 시계를 잡고 있는 손을 떨면서 자석을 틈에 넣었다.

시계의 침은 한쪽으로 갔다가 돌아오는 것을 반복하며 고장 난 것처럼 움직였다.

"시계가 고장이 난 건가요?"

드리머가 물어서 할아버지는 그가 볼 수 있도록 시계를 잡았고 자석을 움직였다.

시계는 할아버지가 자석을 움직이는 속도에 따라 다르게 움직였다.

"와! 정말 자석 시계가 만들어졌어요!"

드리머는 자석으로 만든 시계를 보며 감탄했다.

"역시 아버님의 실력은 여전하시네요!"

할아버지가 만든 시계를 보며 감탄하는 어머니가 말했다.

할아버지는 그들의 반응에 뿌듯해하며 즐거워했다.

드리머는 새로운 도구인 자석 시계를 가지고 놀았다. 그의 옆에서 그를 보는 할아버지는 그가 가지고 노는 자석 시계를 보고 뭔가를 신중하게 생각했다.

아버지는 할아버지가 신중하게 고민하는 모습을 보고 작은 것이 아니라는 것을 알았다.

할아버지는 창고로 향했고 드리머는 자석 시계가 신기해서 그것을 가지고 다녔다.

자석 시계에 신이 난 드리머를 보던 할머니가 부모님에게 물었다.

"놀러 갈 곳은 없지만, 잠깐 바람이라도 쐬러 가는 건 어떠니?"

부모님은 할머니의 제안에 동의하며 겉옷을 가지러 갔다.

드리머는 자석 시계에 빠져서 움직이지 않았고 가족들이 무엇을 하는지 신경 쓰지 않았다.

겉옷을 입고 온 부모님은 드리머의 겉옷을 챙겨서 내려왔고 겉옷을 입은 할머니는 현관으로 갔다.

"이제 나가자구나."

부모님은 시계에 정신이 팔린 드리머를 일으켜서 밖으로 데리고 갔다.

자석 시계에 자석을 대고 움직이는 드리머가 앞을 보지 않고 걸어가서 어머니는 그가 다칠 수 있을 것 같아서 시계를 가지고 갔다.

"드리머, 지금은 다칠 수 있으니까 조금만 있다가 줄게."

드리머는 자석 시계를 가지고 놀고 싶었지만, 어머니가 들고 있는 자석 시계를 가져올 수는 없어서 부모님의 손을 잡고 마을 주변 길을 걸었다.

마을이 바닷물과 맞대고 있어서 시원했지만, 근처에서 쉴 만한 곳은 딱히 없었고 그나마 길 중간중간에 있는 의자에서 쉴 수 있었다.

조부모와 드리머네는 솔솔 불어오는 바람을 맞으며 바다를 감상했다.

같이 만든 도구

해가 거의 다 지고 어둠이 찾아오고 있어서 조부모와 드리머네는 의자에 앉아서 그 장면을 보았다.

시계를 받은 드리머는 시계를 올려서 해를 가렸다. '시계가 해를 가려서 더 멋있는 거 같아!' 그는 웃으면서 자석으로 시계를 움직였다.

자석 시계도 특별한 시계지만, 해를 가린 시계가 빛나는 것이 더욱더 특별해 보였다.

할아버지는 드리머가 시계를 보는 모습을 보다가 확실한 다짐을 해서 바로 집으로 가려고 일어났다.

할머니는 할아버지만 보낼 수 없을 것 같아서 같이 일어나며 기지개를 폈다.

"우리는 먼저 가고 있을 테니… 천천히 오렴."

드리머네 가족은 조부모가 가고도 조금 더 그곳에 있으면서 바람을 쐬기로 했다.

"아버님의 표정이 좋아졌어요. 뭔가를 해결한 거 같죠?"

"네, 아마도요…"

부모님은 아름다운 일몰을 보며 대화를 나누었다.

어머니가 아름다운 일몰이 아닌 시계를 바라보는 드리머에게 말했다.

"드리머, 시계는 집에 가서도 볼 수 있으니까 일몰을 한번 봐 볼래?"

드리머는 시계를 무릎에 올려놓고 아름다운 일몰을 보았다. 아름다운 일몰은 하늘의 색을 바꿔 놓았고 그의 마음도 바꿔 놓았다.

부모님은 집으로 가기 전에 드리머를 기다릴 겸 일몰을 보며 바람을 쐬었다가 가려고 서 있기로 했다.

드리머는 슬슬 추워지는 것 같아서 자리에서 일어나 부모님에게 갔다. "이제 가요!"

같이 만든 도구

 부모님은 드리머가 배고파하기 전에 집에 도착하려고 바로 출발했다.

14
마을의 시계탑

해가 뜨고 1층으로 내려갔지만, 할아버지는 보이지 않았다.

할아버지가 아직도 자고 있다고 생각한 드리머는 소파에 앉아서 텔레비전을 보았고 아버지도 오랜만에 아무것도 하지 않아서 침대에 눕듯이 소파에 누웠다.

할머니는 드리머네와 함께 있는 시간에 할아버지가 있었으면 더 좋았을 것 같으면서도 그 시간이 좋았다.

아무것도 하지 않는 시간은 그들에게 좋은 휴식을 주어서 체력을 채워 준다.

나른한 몸과 정신으로 소파에 누우면 잠이 오는데 그때 잠을 자고 일어나면 아주 상쾌해진 몸과 정신으로 일어날 수 있다는 것이 매우 좋은 효과를 준다.

잠깐 잠을 자고 일어나서 눈을 제대로 뜨지 못하는 드리머가 물었다.

"할아버지는 아직도 자고 있나요?"

"아침부터 밖에 나갔는데, 어제부터 뭐가 떠올랐는지, 오늘은 바쁜가 보구나."

할머니는 할아버지의 그런 모습들을 많이 경험했는지 평소와 같았다.

마을의 시계탑

드리머는 현관문을 보며 할아버지가 어떤 일을 하는지 궁금해했다. '어떤 일을 하는 걸까?' 그는 밖으로 나가서 할아버지를 찾아보기로 했다.

"드리머, 어디 가는 거니?"

창문으로 들어오는 햇빛을 맞으며 밖을 보던 어머니가 물었다.

"네. 잠깐 나갔다가 오려고 해요."

드리머는 대답만 하고서 밖으로 나갔다.

"드리머는 어디로 가는 건가요?"

"나도 모르겠어요. 하하!"

따뜻한 차를 끓여 온 아버지가 어머니에게 다가오며 물어서 그녀는 미소를 지으며 창문으로 드리머를 보았다.

'할아버지는 어디로 갔을까?'

드리머는 고개를 이리저리 돌리며 할아버지를 찾아보았다.

여름 시기에 혼자서 돌아다니는 사람들이 거의 없는데, 그곳에 있는 사람들이 더 적어서 정말 혼자인 것처럼 느껴졌다.

"오늘은 어디를 가는 건가요?"

길을 걷는데, 부모님과 함께 가는 아이의 물음이 드리머의 귀로 들어왔다.

드리머는 잠깐이지만 약간의 허전함이 느껴졌다. '흠…' 그가 다른 가족들의 뒷모습을 보는데 문득 부모님이 떠올랐고 처음으로 쓸쓸함이 느껴졌다. '뭔가 그러네…' 처음 느끼는 쓸쓸함에 어지러운 그는 부모님과 함께 갔었던 언덕으로 갔다. '혹시 할아버지가 이곳에 왔을까?' 그는 할아버지가 다른 곳에 있을 수도 있어서 의자에 앉아서 사람들을 보았다.

다른 가족들도 언덕으로 놀러 왔지만, 잠깐만 있다가 가는 것이어서 많은 사람을 보았어도 기억을 하진 못했다.

'다른 사람들은 많이 있는데, 할아버지는 안 보이네.'

마을의 시계탑

할아버지를 찾던 드리머는 그가 보이지 않아서 다른 곳으로 가기로 했다.

드리머는 언덕을 내려가면서 크게 보이는 시계를 보았다. '저 시계는 정말 큰데도 잘 돌아가네.' 그는 시계를 감탄하다가 이상한 그림자를 발견했다. '저건 뭐지?' 그는 그 그림자가 궁금해서 그곳으로 가 보았다.

한 번도 시계탑으로 간 적이 없는 드리머는 길이 어디인지 정확히 몰라서 길을 헤매었다.

'여기로 가면 되는 거 같은데?'

길이 건물에 가려져서 잘 보이지 않았기에 큰 시계를 보며 길을 추측해야 했다.

하얀 벽으로 둘러싼 집 주위를 둘러보고 파란 지붕의 집을 둘러보며 시계탑 주위에 있는 집들을 둘러보았지만, 시계탑으로 가는 길은 보이지 않았다.

드리머는 시계탑으로 가는 길을 찾는 도중에 길을 걷는 가족들이 보여서 어디로 가야 하는지 물으려다가 그의 두근거림과 떨림에 묻지 못했다. '저 가족들은 알고 있을까? … 알고 있을 거 같기는 한데…' 그는 반대편으로 가는 가족들을 힐끗 보며 물어볼지 고민하다가 지나가는 가족들을 놓쳤다. 그는 한숨이 나왔지만, 그것을 받아들였다.

'괜찮아. 이런 적이 한두 번도 아니니까…'

마음이 심란한 드리머가 고개를 들고 시계를 보았는데, 그곳에 있던 할아버지를 발견했다. "어! 할아버지?"

할아버지는 드리머에게 반갑다고 공구를 들고 있는 손을 흔들었다.

드리머는 할아버지에게 어떻게 갈 수 있는지 물어보았다.

"거기로 가려면 어디로 가야 하나요?"

할아버지가 손으로 어딘가를 가리키며 드리머에게 어디로 오면

마을의 시계탑

된다고 했지만, 거리가 조금 있어서 잘 들리지 않았다.

귀를 기울이며 소리를 듣는 드리머는 할아버지의 말을 알아듣지 못해서 손가락으로 가리킨 곳을 보았다. '저곳으로 가면 되는 건가?' 그는 그러고 있으면 답이 나오지 않을 것 같아서 손가락으로 가리킨 곳으로 가 보기로 했다.

드리머는 할아버지가 가리킨 곳으로 갔는데도 어디인지 찾지 못했다. '어디로 가야 하는 거지?' 그가 길을 찾다가 의심스러운 곳을 보았다. '저기로 가는 건가?'

언덕에서 내려오는 길옆에 공간이 있는데, 드리머가 수상하게 여긴 것은 집 뒤와 연결되어 있어서였다. 뒤에 공간이 있으면 집과 연결된 곳이라고 생각할 수 있지만, 마을에 있는 집들을 자세히 보면 울타리나 벽 등으로 집을 감쌌다는 것을 알 수 있다.

'여기는 어디지?' 드리머는 그 수상한 골목으로 갔다.

사람 한 명 정도가 지나다닐 수 있는 골목에는 아무것도 없었고 앞을 막고 있을 거라고 생각했던 담장 또한 없었다.

'아무것도 없는데…' 드리머는 그 길이 어디와 연결이 되었는지 알아보다가 시계탑을 보았다. '혹시 저기로 갈 수 있는 건가?' 그는 시계탑 쪽으로 걸어갔다.

골목의 넓이와 오른쪽에 있는 벽은 같은데, 왼쪽에 있는 집과 담장은 달랐다. 한 집을 넘어가면 두 종류의 담장이 맞대고 있는데 집집마다 원하는 담장이 달라서 그런 것이었다.

'집을 지나면 담장이 두 종류가 있어.' 드리머는 두 종류의 담장이 맞대고 있는 것을 신기해하며 그곳을 지나갔고 시계탑이 어디에 있을지 짐작해 보았다. '저 끝으로 가면 시계탑이 있는 걸까?'

끼익. 끼익. 시계가 돌아가는 소리가 멀리 있는 드리머에게 크게 들렸다. '이건 시계가 돌아가는 소리인가?' 그는 고개를 들고 소리가 나는 곳을 보았다.

"드리머!" 공구를 들고 있는 할아버지가 웃으며 드리머를 반겼다. "여기까지 왔구나!" 그는 사다리를 타고 시계탑에서 내려갔다.

드리머는 할아버지한테 빨리 가려고 뛰어서 갔다. '어느 곳으로 가야 되는 거지?' 두 갈래 길로 나눠진 곳에 도착한 그는 좌우를 살피며 어디로 가야 하는지 보았다. '왼쪽에는… 길이 있는 거 같은데? 오른쪽에는… 벽이 보이네.' 그는 벽이 있는 곳은 막혀 있을 것 같아서 왼쪽으로 갔다.

왼쪽으로 간 드리머는 그가 걸었었던 길과 풍경이 비슷하다는 것을 보고 그곳이 아닌 것을 알았다. '이곳이 아닌 거 같은데?' 그는 오른쪽 길이 맞는 건가 싶어서 가기 전에 시계탑을 보았다. '시계탑이 저쪽에 있으니까… 안 막혀 있겠지?' 그는 오른쪽으로 가 보기로 했다.

오른쪽으로 가면 벽이 보이는데 두꺼운 그림자가 있어서 막혀 있는 것처럼 보인 것이었다.

'이쪽에도 길이 있었네!' 드리머는 위로 보이는 시계탑을 보며 걸었다. '언제쯤 갈 수 있을까?' 지친 그는 앉아서 쉬고 싶어졌다.

"드리머!" 드리머를 기다리던 할아버지가 어느 곳에서 나오며 드리머에게 손을 흔들었다. "여기로 오면 된단다."

"네!" 힘들었던 드리머는 다 왔다는 것에 기분이 좋아졌다. '힘들었는데 다 왔나 보네?' 그는 기뻐하며 할아버지에게 갔다. "여기서 먼가요?"

"여기로 가면 바로 나온단다."

할아버지가 바로 앞에 보이는 곳을 가리켜서 드리머는 그곳으로 뛰어갔다.

끼익 소리는 들리지 않았지만, 시계탑으로 간 것은 맞았다.

드리머는 끼익 소리가 어디서 나는 것인지 궁금했다.

"아까 끼익 소리가 났는데, 어디서 나는 건가요?"

할아버지는 드리머의 호기심이 재미있었다.

"그 소리는 여기서 들려줄 수 없단다."

마을의 시계탑

드리머는 할아버지의 말을 이해하지 못했다. '아까는 저기서 들렸는데, 여기서는 못 듣는… 건가?' 그는 상상도 할 수 없을 것 같은 주제에 눈을 찡그렸다.

시계탑에 도착하고 드리머는 다리가 아파서 앉을 곳을 찾아보았다. '앉을 곳이 어디에 있지?' 그가 시계탑 주위를 둘러보아도 앉을 만한 곳이 없어 보였다. '앉을 곳이 없는 건가?'

할아버지는 드리머의 행동을 보고 그가 무엇을 원하는지 예상할 수 있었다.

"드리머, 앉을 곳을 찾는 거니?"

드리머는 앉을 곳이 있을 것 같아서 빨리 앉았으면 하는 마음으로 고개를 빠르게 끄덕였다.

할아버지는 시계탑 밑을 받치고 있는 곳에 있는 문손잡이를 잡고 드리머를 불렀다.

'이곳에 앉을 곳이 있는 건가?' 드리머는 기대 반 궁금함 반으로 할아버지가 있는 곳을 반짝이는 눈으로 보았다. '시계탑 밑이면 어떨까?'

할아버지가 문을 열어서 드리머는 바로 안을 들여다보았다. '뭐가 있을까?' 시계탑 받침대는 그의 큰 기대에 미치지 못했다. '뭐지…' 어두컴컴해서 아무것도 보이지 않는 곳을 본 그의 실망은 컸고 할아버지의 모습은 어둠속으로 들어가면서 사라졌다.

'안으로 들어가도 될까?' 드리머는 어두운 곳이 무서워서 문틀을 양손으로 꽉 잡고 한 발만 안으로 넣었다. '괜찮은가?' 안으로 들어가고 싶었던 그는 안에 뭐가 있는지 몰라서 안에 넣은 발을 조금씩 안으로 넣었다. '안에 없는 거지? 안에 아무것도 없어서 들어가도 된다고 알려 줘.' 그는 발을 쭉 뻗은 뒤에 발가락을 땅에 대고 발을 오므린 뒤에 뒤꿈치를 닿는 것을 반복했다.

끼이익. 갑자기 반대쪽 문이 열리면서 빛이 안으로 들어왔다.

"드리머, 이제 들어오렴."

마을의 시계탑

빛이 들어오는 곳을 보며 안으로 들어온 드리머는 안쪽을 보았다.

받침대 안쪽에는 등받이가 있는 긴 의자와 넓은 평상이 있었다.

"어? 저건 왜 여기에 있는 건가요?"

드리머가 평상을 가리키며 물었다.

"여기서 일을 하다 보면 언제 끝날지 모르기 때문에 쉴 곳을 마련해 두었단다."

할아버지가 의자에 앉으면서 드리머에게 앉으라고 손짓했다.

드리머는 의자에 앉아서 앞을 보았다. '앞에는 딱히 뭐가 없는 거 같은데?' 언덕이 있는 방향을 보는 그는 벽만 보여서 지루했다. "여기서는 벽만 보여요."

"그러니?" 할아버지는 어딘가를 쳐다보더니 팔을 움직였다. 위이잉.

"이런 기능도 있었어요?" 드리머는 앉아 있는 의자가 돌아가는 것이 신기했다. "이 밑에 어떤 기능이 있는 건가요?"

"이 밑에도 시계를 움직이는 것과 똑같은 것이 있지."

"시계를 움직이는 것과 똑같은 거요?"

드리머는 시계라고 해서 위쪽을 보았다. '아무것도 안 보여.' 그는 어두워서 안 보이는 건 줄 알았는데, 정말 보이지 않았다. '이 위에 시계가 있는 거겠지?'

"그렇단다. 조금만 더 쉬었다가 시계의 내부를 보여 주마."

드리머는 조금만 더 쉬었다가 간다고 해서 바깥을 보았다.

바깥은 길을 걷는 방향이어서 바다가 보이는데, 앞에 모기장 같은 막이 있어서 잘 보이지 않았다.

"그런데 저기에 왜 저게 있는 건가요?"

"저 막을 말하는 거니?"

"네." 드리머가 뒤에 보이는 풀을 보며 물었다. "혹시 이곳에 벌레가 들어오나요?"

"그런 게 아니고 혹시라도 앞으로 가다가 떨어질 수 있어서 그런 거란다."

할아버지는 벌레를 싫어하는 드리머의 모습에 미소를 지으며 그의 머리를 쓰다듬었다.

바람을 맞으며 앉아 있는 동안 드리머의 몸은 나른해졌다.

"이제 가 볼까?"

할아버지가 드리머를 보며 물었다.

"네. 가야 하는데, 너무 움직이기 싫어요."

"허허. 드리머… 위에 갔다가 내려오는 걸로 하자구나. … 아마 시계 내부를 보게 되면 네가 좋아할… 것 같구나."

할아버지가 자리에서 일어나서 드리머도 자리에서 일어났다.

시계로 가는 사다리로 온 할아버지는 드리머가 사다리를 잘 탈 수 있을지 고민이 되었다.

드리머는 사다리를 보고 나무 위로 올라갔을 때를 떠올렸다. '나무에 올라갔을 때처럼 올라가면 되는 건가?' 그는 나무 위로 올라갈 때 사용했던 사다리와 그곳에 있는 사다리가 달라서 올라갈 수 있을지 고민이 되었지만, 위로 가고 싶은 마음이 커서 고민을 하는 것보다 먼저 올라가 보기로 했다.

"드리머, 괜찮겠니?"

"사다리를 타 본 적은 있는데, 이런 사다리는 처음이에요. 잘 모르겠지만, 괜찮지 않을까요…"

사다리에서 떨어지지 않도록 팔과 발에 힘을 주며 올라가는 드리머가 말했다.

할아버지는 드리머가 떨어질 수도 있어서 조금 거리를 두고 같이 올라갔다.

'조금만 더 올라가면 돼.' 드리머는 올라가야 하는 곳을 바라보며 차분하게 올라갔다. '이제 거의 다 도착했으니까, 괜찮아. 잘하

마을의 시계탑

고 있어.' 올라가면 갈수록 목적지와 가까워지지만 그의 마음은 더욱더 떨렸다.

문이 있는 곳까지 간 드리머는 그곳에 서 있을 만한 바닥이 있어서 그곳으로 갔고 손잡이를 잡고 기다렸다.

할아버지가 올라와서 드리머를 먼저 살폈다.

"괜찮은 거니?"

"네. 괜찮아요!" 드리머가 문을 가리키며 물었다. "이 문을 열면 내부를 볼 수 있는 건가요?"

"그렇단다." 할아버지는 바로 문을 열었다.

드르륵. 문이 열리면서 안에서 열심히 돌아가는 시계태엽들을 본 드리머는 시계태엽 중에 가장 큰 태엽을 가리키며 입을 다물지 못했다. 할아버지는 그가 내부로 들어가지 못하게 투명한 유리로 만든 작은 문을 닫았다.

드리머는 투명한 유리로 내부를 볼 수 있어서 위험하게 기대지 않아도 되었다.

할아버지는 드리머에게 구경을 충분히 시켜 준 것 같아서 내려가자고 손짓했다. "이제 가자구나. 드리머." 그는 드리머가 다치지 않도록 작은 문은 열고 시계탑 문은 닫고서 사다리로 갔다.

드리머가 위험하지 않게 할아버지가 먼저 내려가면서 그를 보았다. 시계탑이 긴 만큼 내려가는 것도 오래 걸렸다.

'조심히 가야지.' 드리머는 밑을 보며 발을 잘 디뎠다. '잘못하면 미끄러질 수 있어.' 긴장한 그의 몸에 힘이 들어가면서 뻣뻣해졌다.

길었던 긴장감 속에서 땅으로 내려온 드리머는 손에 묻은 먼지를 털어 내고 뻣뻣해진 몸을 풀었다.

할아버지는 드리머가 바로 집으로 가면 힘들 수 있을 것 같아서 잠시 쉬었다가 가기로 했다.

마을의 시계탑

"드리머, 어디를 갔다가 온 거니?"

어머니가 드리머에게 물었다.

"잠깐 저 시계탑에 갔다가 왔어요!"

"그랬구나. 정말 신기했겠네."

"네! 정말 신기했어요! 거기에 정말 많은 시계태엽이 움직이고 있었거든요!"

신난 드리머는 자신이 본 장면을 두 팔을 사용하며 설명했다.

부모님과 할머니는 드리머의 설명을 들으며 즐거워했다.

15
더 나아진 공연

여름 시기는 아쉬우면서도 즐거우면서도 행복하게 끝났다.

여름 시기가 끝나고 드리머의 방에 모인 아이들은 그동안 연습했던 것을 보여 주기로 했다.

드리머는 새로운 도구인 시계를 사용해서 하는 공연을 처음 보여 주는 날이어서 떨렸지만, 그동안 연습했던 것이 있었기에 전보다는 덜했다.

그들이 공연을 하기 전에 해야 하는 것이 있는데, 그것은 순서를 정하는 것이었다. 순서를 정하는 것이 중요한 것은 뒤로 갈수록 긴장을 더할 수도 있어서 그렇다.

류인태와 아인은 전에도 잘했기에 드리머와 복태현이 먼저 할 수 있도록 배려해 주었다.

아직 옷이 준비되지 않았지만, 복태현이 먼저 한다고 했고 드리머가 두 번째, 아인이 세 번째, 류인태가 마지막으로 하기로 했다.

복태현이 가져온 짐은 여름 시기 전보다 더 많았다.

'뭐가 더 늘어난 건가?' 드리머는 복태현이 가져온 짐 중에 뭐가 늘었는지 보았다. '저것들을 다 만든 건가?' 그는 복태현의 공연이 궁금해졌다.

더 나아진 공연

복태현은 시작하기 전에 상자 같은 것을 들고 나왔고 안에 있는 도구들을 뺀 뒤에 상자를 펼쳐서 의자로 만들었다.

'저건 무힌이 만든 의자 아닌가?' 드리머는 무힌이 만든 의자를 떠올렸다. '그런데 그때 보았던 것과는 조금 다른데?' 복태현이 사용한 의자와 무힌이 만든 의자를 비교해 본 그는 그때 보았었던 의자가 맞는 것인지 헷갈렸다.

의자에 앉은 복태현은 탁자 위에 불빛을 켤 수 있는 전등을 놓고 손짓했다.

'오! 불빛이 자동으로 켜졌어.' 드리머는 복태현이 손을 대지 않고 불빛을 켠 것에 놀랐지만, 소리를 내지 못해서 속으로만 감탄했다.

불빛을 켜고 만족했는지 아이들을 보며 씨익 웃는 복태현은 불을 사용할 수 없어서 둥근 통을 놓고 그 안에다가 두툼한 비닐을 놓고 주전자와 받침대를 놓았다.

'뭘 하려는 걸까?' 드리머는 처음 보는 물품의 용도가 궁금했다.

복태현이 모아 둔 종이컵에서 한 개를 꺼내는데, 비닐을 놓은 통에서 수증기가 올라왔다.

'저 수증기는 어떻게 생긴 거지?' 드리머는 두툼한 비닐만 놓았는데도 수증기가 생기는 것에 호기심이 생겼다. '아까 넣은 비닐에 비밀이 있을 거야.' 그는 복태현이 사용한 비닐에 대한 비밀을 알아내고 싶어서 공연이 빨리 끝났으면 했다.

주전자가 끓어서 복태현은 꺼낸 종이컵을 탁자 위에 놓고 끓은 물을 종이컵에 따라서 마셨다.

드리머와 아인, 류인태는 복태현과 함께했던 탐험을 떠올리며 그의 공연을 공감했다.

물을 다 마신 복태현은 손짓을 해서 불빛을 끄고 정리를 했다.

'이제 다 끝난 건가?' 드리머는 복태현의 공연 과정을 보고 끝

더 나아진 공연

을 향하고 있다고 생각했다. '마무리를 어떻게 할까?'

복태현이 의자를 펼치더니 원래의 상자가 아닌 가방으로 만들었고 그 안에다가 정리한 것을 넣고서 가방을 바닥에 두었다.

'아직 안 끝난 건가?' 드리머는 상자가 아닌 가방으로 만든 것도 신기했는데, 아직 끝나지 않았다는 것이 더 신기했다. '저걸 메고 나가는 게 아니면 어떤 걸로 마무리를 할까?'

복태현은 허리를 숙여서 무언가를 하다가 가방에서 천을 꺼냈다.

'저 천으로 무엇을 하려고 하는 거지?'

어떤 천인지 무엇을 숨겼는지 확인하려고 드리머가 상체를 움직여서 아인에게 약간 방해가 되었지만, 그의 반응에 재미있어하는 그녀는 그것을 문제 삼지 않았다.

천을 꺼낸 복태현은 각각의 모서리를 바닥에 고정시키더니 조그만 천막집을 쳤고 안으로 들어가서 불빛을 켰다가 껐다.

드리머와 아인, 류인태는 복태현이 언제 나올지 기다렸지만, 그는 나오지 않았다. 시간이 조금 지나고 그가 고개를 밖으로 내밀었다.

끝난 거라고 생각해서 물으려다가 말은 류인태가 복태현을 보며 물었다.

"다 끝난 거니?"

복태현은 고개를 끄덕였고 류인태는 진행을 위해 마션의 역할을 했다.

"그러면 태현은 정리를 하면 되고 그동안 드리머가 준비하자."

류인태는 복태현을 도와주고 싶었지만, 호기심과 궁금함이 사라질 것 같아서 그만두었다.

아인과 류인태는 드리머와 복태현의 비밀을 알 수 있어서 다른 곳을 보거나 서로 대화를 하며 그들이 준비하고 정리하는 곳을 보지 않았다.

더 나아진 공연

"전보다 훨씬 좋아졌어. 그렇지 않니?"

시선을 어디다가 둘지 모르는 아인이 류인태를 보며 물었다.

"훨씬 나아졌어. 정말 멋진 공연인걸!" 류인태는 확신이 가득한 눈을 하였다. "저 가방에서 천막집까지 되는 과정이 정말 신기해. 저걸 혼자서 만들었을까?"

"음…" 이미 복태현에게 들은 것이 있는 아인은 류인태의 질문에 거짓을 말할지 고민하다가 말해도 딱히 상관이 없을 것 같아서 사실대로 말했다. "저건 무힌과 같이 만든 거라고 했어."

류인태는 무힌이 만든 도구와 뭔가 비슷하다고 생각했었는데 그가 만들었다고 해서 이해가 갔다.

정리를 마친 복태현이 아인과 류인태에게 와서 그에게 잘했다며 박수를 보냈고 그는 고맙다며 머리를 긁적였다.

준비를 하는 드리머는 박수 소리를 들었지만, 긴장이 되지는 않았고 오히려 준비를 하느라 박수를 치지 못한 것이 미안했다. '내 공연이 끝나고 잘했다고 말해 줘야겠다.' 그는 공연을 마치는 것이 우선이라고 생각해서 지체되지 않도록 다른 일은 하지 않았다.

준비를 마치기 전에 드리머는 심호흡을 한 번 하고 차분하게 순서를 확인했다. '내가 잘 잡을 수 있는 위치… 됐고 순서대로 놓았지? 됐다.' 그는 완전히 준비를 마치고 아이들을 보았다.

아인과 류인태, 복태현은 시작해도 된다는 의미로 박수를 쳤고 드리머는 공연을 시작했다. '처음에는 전과 똑같아.' 그가 센터에 갔다가 집에 도착한 것처럼 가방을 내려놓았지만, 그 다음으로 밥을 먹는 장면이 아닌 공부를 하는 장면으로 넘어갔다.

'오, 드리머도 전과 다르게 했네.'

아인은 달라진 드리머의 공연을 기대하며 보았다.

'이번 드리머의 공연에서는 긴장이라는 것이 느껴지지 않아.'

류인태는 드리머가 긴장해서 집중하는 것이 아닌 신중하려고

더 나아진 공연

집중하는 것을 보고 기뻤다.

드리머는 작은 책상으로 갔다. 책상 위에는 여름 시기에 만들었던 시계가 놓여 있었고 아름다운 빈 책과 필기도구가 있었다.

'저 시계는 뭐지?' 복태현은 시계에 관심을 보였다.

드리머는 뒷면이 아이들에게 보이지 않도록 시계를 돌려서 확인한 뒤에 다시 놓았고 책에 글을 적는 척을 했다. 툭툭. 그는 무엇을 적어야 하는지 고민하는 척하면서 필기도구로 책상을 툭툭 쳤다.

아인은 드리머의 연기가 놀라울 정도로 늘은 것에 그가 얼마나 노력했는지 느낄 수 있었다. '드리머, 정말 많이 했구나.' 속으로 칭찬을 마친 그녀는 그의 공연에 빠져들었다.

드리머는 필기도구로 책상을 치면서 자석으로 된 시계를 움직이게 했다.

드리머의 공연을 보는 아인과 류인태, 복태현 중에 류인태만 시계가 돌아간 것을 알아차렸고 드리머의 모습만 보는 아인과 복태현은 돌아간 시계를 알아차리지 못했다.

책을 덮고 필기도구를 놓은 드리머가 쉬는 시간인 것처럼 잠시 턱을 손에 괴고 시계를 확인했다. 시계가 돌아간 것을 몰랐던 아인과 복태현은 그가 시계를 보고 있어서 시계로 시선을 옮겼다.

'시계가 돌아간 거 같은데?' 아인은 시계가 돌아간 것을 확인했지만 잠깐 보았던 시계가 몇 시를 가리켰는지 정확하게 기억나지 않았다. '돌아간 게 맞겠지?'

드리머는 시계가 돌아갔는데도 아이들의 반응이 별로 좋지 않다는 것을 느꼈다. '시계가 별로 신기하지 않았나?' 그는 그들의 반응이 시원찮아서 계획에 없던 행동을 추가했다. '시계를 자연스럽게 돌려 볼까?' 그는 한 팔을 쭉 뻗어서 검지로 책상을 치면서 자연스럽게 시계를 돌리려고 했다.

이미 시계가 돌아간 것을 알고 있는 류인태에게는 그 시간이

더 나아진 공연

약간 지루하게 느껴졌다. '원래 계획했던 건가?' 그는 드리머에게 물어보려고 어색한 장면을 기억해 놓았다.

드리머는 시계에 대한 반응이 나아지지 않아서 다음 장면으로 넘어가기로 했다. 다음 장면은 옷을 갈아입는 장면으로 전에 류인태가 했던 대로 속에 잠옷을 입어서 겉에 입은 옷을 벗었다.

류인태는 자신이 한 것을 드리머가 해서 뿌듯했지만, 더 좋게 바꿀 수는 없을지 고민했다.

잠옷 차림의 드리머는 침대 위에 베개와 이불을 펼쳐 놓고서 위에 앉았고 전에는 보이지 않았던 바람개비를 양손으로 꽉 잡고 베개를 베며 누웠다.

'바람개비?' 아이들은 드리머가 바람개비를 사용한 적이 없어서 바람개비의 용도가 궁금했다.

드리머는 가만히 누워 있는데, 바람개비가 점점 돌아갔다.

"어?" 끝난 줄 알았던 류인태는 바람개비가 돌아가는 것에 놀라서 본인도 모르게 감탄이 나왔다. 그는 아인과 복태현에게 미안하다는 손짓을 했지만, 그들은 그의 미안함을 볼 시간이 없었다.

바람개비가 빠르게 돌아가더니 안에서 눈 같은 것이 나오면서 드리머의 주위를 장식했다. 눈 같은 것이 바닥으로 떨어졌고 모두 사라져서 그가 상체를 일으켰다.

드리머의 공연을 보던 아이들은 마지막 장면이 인상 깊고 멋있어서 박수를 쳤다.

드리머는 침대에서 일어나 인사를 하고서 정리를 시작했다.

"다음은 아인이니까, 준비를 하자."

류인태가 아인에게 말했다.

드리머가 정리를 마치고 류인태와 복태현에게 왔다.

류인태는 잘했다고 하고서 조심스럽게 드리머의 공연에서 어색한 부분에 대해 말을 꺼냈다.

"드리머, 정말 나아졌어. 그런데… 옷을 갈아입는 장면과 시계

더 나아진 공연

를 돌리는 장면에 대해 물어볼 게 있는데…"

"응? 어떤 건데?" 드리머는 류인태가 말한 부분을 우선 생각해 보았다. '내가 했던 곳 중에 어색한 부분이 어디일까?' 그는 대략적으로 생각하면서 류인태의 말을 들었다.

"시계를 돌리는 장면이 너무 길었는데, 혹시 원래 그렇게 계획했던 거니?" 류인태는 드리머가 정리한 도구를 보며 기억을 잊지 않으려 했다. "시계를 보는 마지막 장면이 너무 긴 것 같아서…"

드리머는 아이들이 시계가 돌아간 것을 알고도 반응을 하지 않았던 것이라는 것을 류인태의 말을 듣고서 알았다.

"아… 사실, 이번에 처음 하는 것이어서 잘 못 본 줄 알고 마지막에 추가로 했던 거였어. 원래 계획했던 것에는 그 장면이 없었거든."

"아아… 그러면 시계를 잘 보여 주는 게 중요하겠다. … 그리고 잠옷을 갈아입는 장면도 좋긴 한데 뭔가 더 좋게 할 수는 없을까?"

류인태가 드리머의 잠옷을 가리키며 물었다.

"음… 좋게 할 수는 있을 것 같은데, 딱히 떠오르지가 않아서 못했어."

류인태도 드리머와 같은 생각이어서 다른 말은 하지 않고 공감한다고 끄덕이기만 했다.

아인과 류인태의 공연이 끝나고 아이들은 한곳에 모여 앉았다.

"우선 우리가 가져온 도구들을 다른 곳에 놓는 게 좋을 것 같아."

도구를 잘 놓고 모인 아이들은 서로의 공연에 대해 말하며 보완할 점이나 잘한 점에 대한 의견을 내고 배우고 싶은 것이 있으면 물어보며 서로가 공유했다.

"드리머가 사용한 시계에 자석이 있었구나!" 자석을 자신이 사용하는 불빛을 내는 전등에 적용하고 싶은 복태현은 드리머에게

더 나아진 공연

조언을 구하려 했다. "그래서 그런데… 내가 사용하는 이 도구에 자석을 사용할 수 있을까?"

드리머가 복태현이 가리킨 전등을 보았는데, 그 전등은 전에 무힌이 만들어서 그에게 주었던 것이었다.

"그건 전에 무힌이 준 거 아니야?"

"맞아. 무힌하고 같이 만들어서 더 좋게 한 거야." 복태현은 무힌과 만든 전등을 아이들에게 보여 주었다. "원래는 빛의 세기를 조절하는 곳을 내가 직접 눌러서 해야 했는데, 이제는 직접 대지 않게 해 주었어." 그는 전등의 새로운 기능을 알려 주었다.

드리머와 아인, 류인태는 전등을 대지 않고 손을 쫙 편 뒤에 올리면 불빛이 강해지고 내리면 불빛이 약해지는 것이 놀라웠다.

"이대로도 좋은 거 같은데? 굳이 자석을 할 필요가 있을까?" 류인태가 전등을 둘러보며 물었다.

"그런가?" 복태현은 뭐가 괜찮은지 몰라서 머리를 긁적였다.

드리머와 아인은 류인태의 의견에 힘을 실었다.

복태현은 괜찮다는 말에 만족했고 다음으로 드리머가 질문을 했다. "내가 옷을 갈아입는 장면을 하는데 더 자연스럽게 갈아입을 수 있는 방법이 있을까?" 그는 어떤 생각이라도 떠오를 수 있도록 옷을 들어 올렸다.

의견을 냈던 류인태도 딱히 떠오르는 방법이 없었다.

옷을 만지며 살펴보던 복태현이 의견을 제시했다.

"가릴 수만 있다면 옷을 빠르게 갈아입을 수 있지 않을까?"

"옷을 빠르게 갈아입으면 된다고? 어떻게?"

"내가 생각한 방법은 두 가지인데…" 복태현은 드리머가 입고 있는 옷을 가리키며 설명했다. "하나는 옷을 앞뒤로 만들거나 안쪽과 바깥쪽으로 만드는 거야." 그는 바지 끝과 옷 끝을 손가락으로 집었다. "다른 한 가지는 전신으로 옷을 만드는 거지. 그러면 갈아입기가 괜찮지 않을까?"

더 나아진 공연

"오! 전신으로 하는 것도 괜찮을 것 같아." 괜찮은 생각에 류인태는 감탄하며 생각난 것을 말했다. "전신으로 하면 화장실에 갈 때 불편하고 움직일 때 어색할 수 있겠지만, 빨리 갈아입기에는 괜찮겠네."

그들의 의견을 듣던 아인은 그들의 의견이 와닿지 않았다.

"근데 가릴 거면 겉에 옷을 입고 갈아입어도 되는 거 아니니? 굳이 안쪽과 바깥쪽에 옷을 겹칠 필요가 있을까?"

복태현은 아인의 반박에 수긍했다. "그건 그러네…"

류인태가 아인에게 말했다.

"개인적으로 전신 옷이 나은 것 같아. 네 말에 가장 어울리기도 하고…"

"전신이 괜찮아 보이기는 하는데… 드리머, 정말 괜찮겠니?"

여러 의견이 오고 가는 상황에서 드리머의 머릿속은 복잡했다. '뭐가 괜찮을까?' 그는 아이들이 말한 것들을 하나씩 생각해 보았다. "전신으로 만드는 게 어떤지를 몰라서 결정을 못 하겠네."

"전신으로 만든 옷이 없니?"

아인이 드리머의 옷장을 보며 물었다.

드리머는 옷장을 열어서 확인시켜 주었다.

"정말 없네." 아인은 전신으로 된 옷을 알려 줄 방법이 그곳에 없어서 바깥으로 나가야 될 것 같았다. "그러면 다음에 옷 가게를 가는 게 낫겠다."

"그래 그러면 이건 다음에 하기로 하고 다른 건 없니?"

류인태가 각자 원하는 것을 모두 들어줄 수 있도록 정리했다.

이번에는 아인이 말했다. "아까 자석에 대해 말해서 그런데…" 그녀가 도구를 둔 곳으로 가서 주사기를 꺼내 왔다. "내가 더 좋게 만들고 싶은 도구는 이거야."

드리머가 주사기 모형을 들고 물었다. "자석을 주사기에 한다는 거지?" 그는 주사기를 사용하지 않아서 괜찮을지 생각했다. "요즘

더 나아진 공연

주사기를 잘 사용하지 않아서 주사기에 효과를 주는 게 좋을까?"

"음… 그것도 좋은 의문이야. 나도 그 고민을 하긴 했어. 우리가 최근에는 잘 사용하지 않지만, 예전에는 사용했던 것을 하는 것도 괜찮을 것 같아서 넣었거든."

드리머는 아인이 그것에 자석을 하려는 이유가 있을 거라고 생각해서 어떤 이유라도 자석을 활용할 수 있는 방법을 생각해 보았다. "주사기의 안쪽 끝에 자석을 두고 따로 자석을 가지고 있던가, 안 보이는 곳에 숨기던가 해야 할 거 같아." 그는 설명을 하려고 들고 있던 주사기 모형을 아인에게 주었다.

드리머의 조언을 들은 아인은 어떤 게 나을지 고민해 보기로 했고 집에 돌아갈 시간이 되어서 아이들은 각자의 길로 갔다.

드리머와 류인태는 집에 남아서 아인과 복태현을 배웅했다.

"나중에 옷 가게에서 만나자!"

아인이 드리머에게 말해서 그는 알겠다며 잘 가라고 손짓했다.

16
옷 가게

드리머와 류인태는 아인과 복태현과 만나기로 한 옷 가게로 향했다. 약속 시간까지 넉넉해서 천천히 대화를 나누며 걸어갔다.

옷 가게에 도착하고 드리머와 류인태를 기다리던 아인과 복태현이 보였다.

"벌써 왔구나!" 류인태가 아인과 복태현에게 말했다.

아인과 복태현이 옷 가게 안으로 들어가서 드리머와 류인태도 따라갔다.

드리머는 옷 가게로 들어가면서 앞을 보았다. 옷 가게의 앞에는 옷 가게라는 표시의 간판이 있는데, 옷 모양으로 겉은 반짝이는 전구로 장식되어 있었다.

'저기에 빛이 들어오면 어떨까?' 드리머는 전구에 빛이 들어왔을 때의 간판이 궁금했다. '밤에 오면 반짝이겠지?'

옷 가게 안으로 들어간 아이들은 모여서 차례대로 보았다.

옷 가게의 주인인 금선영이 아이들에게 다가왔다.

"너희끼리 온 거니?"

"네. 우리가 공연을 하려고 하는데, 거기에 맞는 옷을 찾으려고 왔어요."

"공연?" 금선영은 아이들이 찾을 만한 옷이 있는 곳으로 안내

옷 가게

했다. "여기에 있는 옷들이 너희에게 필요할 것 같은데… 한번 확인해 보렴."

아이들은 금선영이 알려 준 옷들을 보았다. 드리머에게 옷에 대해 말을 꺼냈던 아인은 그에게 맞는 옷을 찾아 주려고 옷을 꺼내서 그의 몸에 대 보았다.

류인태와 복태현은 괜찮아 보이는 옷을 발견했는지, 옷을 입어 보려고 탈의실로 갔다.

아인이 드리머에게 맞을 것 같은 옷들을 골라 주었지만, 그가 원하는 전신 옷이나 갈아입기에 편한 옷인지는 몰랐다.

"이것들을 한번 입어 보고 올래?"

드리머는 많은 옷에 당황스러웠다.

"이건 너무 많은 거 같은데?"

"많긴 한데… 탈의실을 자주 사용할 수 없으니까, 많이 가져가서 입고 나오는 게 나을 거 같은데…" 아인은 많은 옷을 갈아입는 시간을 생각해 보았다. "그러고 보니까 그게 그거 같기도 하네."

드리머는 가게 안에 사람들이 많이 없고 탈의실을 기다리는 사람이 없어서 옷들을 들었다. "지금은 사람이 많이 없으니까, 빨리 입고 나오는 게 나을 것 같아." 그는 류인태와 복태현이 탈의실을 사용하고 있어서 앞에서 기다렸다.

고른 옷을 입고 나온 복태현은 옷이 마음에 들었는지 드리머에게 보여 주었다.

"이 옷 어때 보여? 나한테 필요할 것 같지 않니?"

드리머는 탐험가처럼 입고 나온 복태현의 모습에 감탄했다.

"오! 정말 멋지다! 정말 탐험가 같은데?"

"그렇지? 이 옷은 내가 하려는 공연에 딱 맞을 것 같아."

고객들에게 설명을 해 주며 돌아다니던 금선영이 드리머와 복태현에게 왔다. "왜 그 옷이 공연에 딱 맞는지 알고 있니?" 그녀

옷 가게

가 복태현이 입은 옷을 가리키며 물었다.

드리머와 복태현이 옷을 만져 보며 이유를 찾으려고 했지만, 찾지 못했다.

"혹시 내부에 옷이 있는 건가?"

"그럴 수도 있겠는데?" 복태현은 옷 안쪽이 보이게 잡았다. "안에는 딱히 없어 보이는데?"

금선영은 옷의 한쪽을 가리켰다.

"옷 안쪽이 아니고 옷 바깥쪽에 있는 그게 비밀이란다."

드리머와 복태현이 금선영이 가리킨 곳을 보았는데, 옷의 바깥 주머니에 고리가 있었다.

금선영이 고리를 건드렸더니, 다른 옷처럼 바뀌었다.

"와아! 이래서 공연에 사용하는 옷이라고 했구나!"

"이러면 다른 사람들도 모르게 다른 옷으로 바꿀 수 있겠어!"

드리머와 복태현은 새로운 옷의 기능에 놀라면서 그동안 몰랐던 것이 많았다는 것을 알게 되었다.

"혹시 탈의실을 사용하려는 거니?"

옷을 고른 고객이 복태현이 나온 탈의실을 가리키며 물었다.

드리머는 아직 옷을 갈아입지 못해서 사용해야 한다고 말을 해야 하는데, 옷이 많아서 눈치를 보았다.

"드리머, 다 갈아입었니?"

곤란해하는 드리머에게 아인이 다가오며 물었다.

드리머는 고개를 저었고 그가 아직 사용하지 않았다는 것을 알게 된 고객은 기다리려고 그의 뒤로 줄을 섰다.

눈치를 보던 드리머는 탈의실로 들어갈 수 있었다.

'밖에서 사람들이 기다리니까, 빨리 갈아입어야겠다.' 드리머는 새로운 옷들이 더럽혀지지 않게 선반에 올려 두고 입고 있던 옷을 어디다 둘지 고민했다. '새로운 옷 위에 올려 둬도 괜찮을까?' 그가 새로운 옷 위에 올려 둘까 하다가 옷이 더럽혀질까 봐 하지

옷 가게

않고 다른 선반이 있는지 둘러보았지만, 선반은 한 개뿐이었다.

'어디다 둬야 할까…' 고민을 하다가 긴 거울을 본 드리머의 눈에 문에 달려 있는 옷걸이가 보였다. '저기에 걸면 되겠는데?' 그는 높은 곳에 있는 옷걸이에 옷을 걸려고 까치발을 들었다. '조금만 더, 조금만 더…' 옷걸이의 높이는 그가 까치발을 들었을 때 뻗은 손보다 조금 더 위에 위치해 있어서 옷을 쉽게 걸지 못했다.

힘들게 옷을 건 드리머는 깨끗해 보이는 바닥에 바지를 두어도 괜찮을 것 같아서 그곳에 놓았다. '얼른 옷을 입어야지.' 그의 머릿속에 기다리는 손님이 떠올라서 옷을 빠르게 갈아입으려고 하면 할수록 옷은 잘 들어가지 않았다. '옷이 잘 안 들어가네.' 그는 마음을 진정시키는 것이 우선이라고 생각했다. '내가 공연을 할 때라고 생각해 보자.' 그는 공연을 할 때 차분해진 모습을 떠올리며 마음을 진정시킨 뒤에 옷을 갈아입었다.

첫 번째 옷은 그렇게 화려하지 않은 평범한 옷이어서 어디에서든지 입을 수 있는 옷이었다.

두 번째 옷은 약간 화려하지만 공연 주제와 어울려 보이지는 않는 옷이었다.

드리머는 나머지 옷들을 입어 보고 가장 괜찮은 옷을 입고 밖으로 나갔다.

밖에서 기다리던 아인은 드리머의 옷을 보고 괜찮은 것 같다고 했고 다른 옷들을 가져다 놓으려고 새 옷들을 달라고 손짓했다.

"드리머, 다른 옷들은 줘. 가져다 놓아야 하거든…"

선반에 올려놓았던 옷들을 가지고 나간 드리머가 아인에게 옷을 주면서 물었다.

"빠르게 갈아입다 보니까, 옷을 정리하지 못했는데, 괜찮을까?"

아인은 별 거 아니라면서 순식간에 옷을 깨끗하게 정리했다.

드리머가 나와서 들어간 손님이 옷걸이에 걸려 있던 옷을 그에

옷 가게

게 내밀며 물었다. "이거 네 옷이니?"

드리머는 옷걸이에 걸어 두었던 옷이 생각나서 옷을 받았고 바닥에 둔 바지를 손님이 밟았을까 봐, 안을 가리켰다.

"혹시 안에 바지를 두고 왔는데, 바지는 없었나요?"

손님은 당황한 드리머를 귀여워하며 그가 들고 있는 옷을 가리켰다. "옷을 잘 살펴보렴. 후훗." 그녀는 탈의실로 들어가서 문을 잠갔다.

드리머가 준 옷을 가져다 놓고 갈아입을 옷을 가져온 아인은 줄을 서서 탈의실을 기다렸다.

탈의실에 오래 있던 류인태가 새로운 옷을 입고 나왔다.

"정말 잘 어울리는데?" 아인이 류인태가 입은 옷에 감탄하며 물었다. "그런데 왜 이렇게 오래 있었니?"

류인태가 머리를 긁적이며 말했다.

"사실 옷은 이것밖에 없어서 빠르게 갈아입었는데, 공연 때 입어야 하니까, 연습을 한번 해 봤어."

"아!" 옆에 있던 드리머는 류인태가 한 말이 맞는 것 같았다. "왜 그 생각을 못 했을까?" 그는 새로운 옷을 입고 연습을 못 해 봐서 아쉬웠다.

아인은 탈의실로 들어가면서 문 바깥쪽에 있는 거울을 가리켰다.

"문 바깥쪽에도 거울이 있으니까, 거길 보고 해 보는 게 어때? 문 바깥이어서 안쪽에 들어가지 않아도 되고 사람들에게 방해되지도 않으니까."

"그런 방법이 있었네!" 드리머는 아인이 사용하는 탈의실 문 바깥쪽에 있는 거울 앞에 섰다. "이 거울을 사용하면 되겠지?"

드리머가 거울 앞에서 연습을 하는 것은 좋았으나 거울의 넓이가 넓지 않아서 그의 모습이나 팔이 거울 밖으로 나가서 보이지 않았다.

옷 가게

"거울이 얇아서 다 보이지는 않네."

거울에 다 보이도록 몸을 움츠린 드리머가 말했다.

"밖에 있는 거울은 문보다 작게 만들어서 어쩔 수가 없지. 탈의실처럼 넓은 벽이 아니니까."

"그런가?" 드리머는 아쉬운 대로 연습을 해 보았다. "그래도 옷이 공연에 괜찮은지 확인을 하려면 한번 해 봐야겠다."

류인태는 입은 옷을 구매하려고 계산하는 곳으로 갔다.

끼익. 탈의실에서 나온 아인은 앞에서 연습을 하는 드리머를 보고 놀랐다.

"아이구… 놀래라. … 앞에서 연습하는 건 방해가 되지는 않지만, 놀랄 수 있다는 단점이 있네. 앞에 있다는 사실을 잊었어."

드리머는 아인이 입은 옷을 보았다.

"그건 간호사가 입는 옷 같다."

"간호사가 입는 옷은 아니겠지만, 비슷한 걸로 골라 봤어! 괜찮지 않니?"

아인이 옷의 이곳저곳을 보여 주며 물었고 드리머는 괜찮다고 했다.

아인은 마지막으로 문에 있는 거울로 가서 어떤지 보았다.

새 옷으로 갈아입기 전에 입었던 옷을 비닐봉지에 담아 온 류인태가 드리머에게 물었다.

"그런데 드리머. 입고 있는 옷은 계산한 거니?"

드리머는 고개를 숙여서 옷을 보았다. "아! 아직 구매하지 않았네." 그는 옷을 구매하지 않고 오래 입고 있어서 금선영의 반응을 살피며 눈치를 보았다. '뭐라고 하지는 않네.' 그는 옷을 구매하려고 계산대로 갔다.

금선영은 드리머가 입고 있는 옷을 보았다. "정말 잘 어울리는 옷을 골랐구나." 그녀는 옷을 입고 있는 그를 칭찬하며 계산해 주었다.

옷 가게

드리머는 쑥스러워하며 머리를 긁적였다.

"이건 내가 고른 게 아니고 친구가 골라 줬어요."

"그랬구나. 친구가 잘 골라 주었네…" 금선영은 드리머가 입었던 옷을 비닐봉지에 담아서 그에게 주었다.

드리머는 비닐봉지를 받아서 아이들에게 갔다.

"나가서 기다리고 있을래?"

옷을 계산하려는 아인이 물었다.

류인태는 복태현이 보이지 않아서 그를 찾으려고 했지만, 보이지 않았다.

"그런데 태현이 봤니?"

드리머도 복태현을 찾아보았지만, 어디에도 없었다. "아직 탈의실에 있는 건가?" 그가 탈의실을 보며 물었다.

"그런가? 아까 나온 거 같았는데…"

류인태가 그곳에서의 상황들을 떠올려 보았다.

"너희는 다 구매한 거니?"

탈의실에서 비닐봉지를 들고 나온 복태현이 드리머와 류인태에게 물었다.

드리머와 류인태는 비닐봉지를 들어 올려서 복태현에게 보여주었다.

"그런데 아인이는?"

"아인은 옷을 계산하러 갔어. 우리 보고 먼저 나가 있으라고 했으니까, 먼저 나가 있자."

류인태가 드리머와 복태현을 데리고 옷 가게에서 나갔다.

밖으로 나가면서 드리머가 복태현에게 물었다.

"그런데 새로운 옷을 입지 않고 입던 옷을 입은 거야?"

"아, 새로운 옷을 입고 가다가 더러워질까 봐 다시 갈아입었어."

드리머는 복태현의 말을 듣고 새로 구매한 옷을 보았다. '아직 깨끗한데, 더러워지지 않게 옷을 갈아입는 게 좋을까?' 그는 옷

옷 가게

가게에 있는 탈의실을 보며 망설였다.

계산을 마친 아인이 밖으로 나왔다.

"이제 집으로 가자!"

드리머는 아이들이 걸어가는 데도 새로운 옷을 걱정하며 가만히 서 있었다.

길을 가다가 드리머가 없다는 것을 알게 된 아인이 뒤로 돌았다.

"왜 거기에 있는 거니? 뭐 두고 왔어?"

드리머는 옷 가게 내부를 보면서 고개를 저었다.

드리머가 왜 그곳에서 가만히 있는지 말을 하지 않아서 아인이 고개를 갸우뚱하며 그에게 갔다.

"드리머, 어서 가자."

"응…" 드리머는 내부를 보면서 천천히 앞으로 걸었다.

아인은 이유도 알려 주지 않고 행동도 답답해 보이는 드리머를 보고 한숨을 내쉬었다. "후우… 드리머, 도대체 왜 그러는 거니?" 그녀가 최대한 좋게 물었다.

"사실 이 새 옷이 더럽혀지지 않을까 싶어서 옷을 갈아입을까 생각 중이었어."

"새 옷이 더럽혀지면 마음은 안 좋겠지만, 계속 그러고 있으면 더럽혀질 가능성이 높아져." 아인은 드리머의 고민을 해결할 수 있을 것 같아서 미소를 지었다. "그리고 만약에 옷이 더럽혀지더라도 집에서 세탁하면 되잖아!"

드리머는 집에 있는 세탁기를 생각하며 최대한 빨리 집으로 가기로 했다.

아인과 복태현과 헤어지고 류인태와 집으로 온 드리머는 오자마자 새 옷이 더럽혀지지 않도록 옷을 갈아입으러 갔다. '휴우… 옷이 더러워지지 않아서 다행이다.' 깨끗한 옷에 안심한 그는 옷을 갈아입고 새로운 옷을 세탁하려고 밑으로 가지고 갔다.

옷 가게

"이 옷을 오늘 샀는데, 세탁을 해야 하나요?"

드리머가 옷을 보여 주며 물었다.

"새로 산 옷이니? 새로 산 옷은 세탁을 해야 한단다." 어머니는 드리머가 산 옷을 자세히 보았다. "이건 물로 세탁해도 되는 거니까, 세탁하면 되겠다." 옷을 확인한 그녀는 그의 몸에 옷을 대 보았다. "옷이 정말 괜찮구나! 드리머가 고른 거니?"

드리머는 고개를 저었다. "아니에요. 아인이 골라 주었어요."

"그랬구나. 아인이 잘 골라 주었네."

어머니가 고개를 숙여서 새로 산 옷을 보는 류인태에게 물었다.

"인태도 옷을 새로 산 거니?"

류인태는 어머니의 눈을 보며 고개를 끄덕였고 그녀는 조용히 그의 옷을 확인하고서 머리를 쓰다듬었다. "이것도 물로 세탁을 해야겠구나." 그녀는 옷들을 빨래 바구니로 가지고 갔다.

새 옷을 해결하고 방으로 올라온 류인태가 드리머에게 물었다.

"이제 곧 있으면 공연을 하게 될 거야. 정말 기대되지 않니?"

"기대돼. … 걱정도 되지만…"

"우리는 잘할 수 있을 거야."

류인태의 눈빛에는 기대가 가득 들어 있는 것 같았다.

17
공연 전 마지막 연습

그들은 새로운 옷을 잘 챙겨서 디떠블유 센터로 갔다.

"너희 옷은 가져온 거니?"

드리머의 침대 끝에 앉은 아인이 물었다.

드리머와 류인태는 가방을 가리키며 안에 넣었다는 것을 알려주었다.

복태현은 빨리 옷을 입고 싶은지 가방을 내려놓지 않았다.

드리머는 여름 시기가 지난 뒤로 처음으로 마션을 만나는 것이어서 마션의 평가에서 잘 받기를 바라며 옷을 넣은 가방을 문질렀다.

꿈의 세계로 간 아이들은 각자의 방에다가 옷을 놓고 마션의 방으로 모였다.

"오랜만에 모인 거 같네."

연습을 멈추지 않는 마션이 아이들을 보며 반갑게 웃었고 그들도 오랜만에 와서 설렜다.

"좋아. 이제 우리는 사람들 앞에서 공연을 할 예정이야. 그전에 마지막으로 어떤지 확인해 보고 함께할 공연도 해 볼 예정이란다."

"함께하는 공연이요?" 아인이 물었다. "그러면 우리 모두가 할

공연 전 마지막 연습

수 있어야 하는 거고 시간이 걸릴 것 같은데, 괜찮을까요?"

"하하하! 너희가 온 지 얼마 안 되었다면 그런 걱정을 해도 되겠지만, 지금의 너희는 그런 걱정을 안 해도 될 것 같구나."

마션은 확신의 찬 눈으로 그들을 보았다.

'맞아. 우리는 이제 열심히 하면 사람들 앞에서도 잘할 수 있을 거야.'

주먹을 꽉 쥔 드리머는 속으로 할 수 있을 거라는 믿음을 가졌다.

"그래서 오늘 할 일은 너희의 공연을 확인하는 거란다. 준비는 다 되었니?"

마션의 다 되었냐는 질문을 기다리고 있던 드리머는 그의 물음에 바로 그렇다는 몸짓을 했다.

마션은 드리머의 밝은 모습과 행동에 많이 좋아졌다는 것을 느꼈다.

"오늘은 각자의 방에서 할 거니까, 방으로 가서 연습하고 있으면 된단다."

드리머와 아이들은 각자 방으로 들어갔다.

"오늘 새로운 옷을 가지고 왔다고 했으니까, 연습을 확인할 때 입는 걸로 할게요."

드리머가 방에 도착했을 때, 마션의 방송이 울렸다.

드리머는 옷을 넣은 가방을 열어서 언제 입을지 생각해 보았다. '옷을 언제 입는 게 좋을까? 너무 빨리 입었다가 더러워지면 세탁을 하면 되겠지?' 그는 마션이 오기 직전에 빠르게 입는 것보다는 미리 입는 게 나을 것 같아서 옷을 갈아입었다.

"이제 준비는 다 된 거니?"

마지막으로 드리머의 공연을 보러 온 마션이 소파에 앉으며 물

공연 전 마지막 연습

었다.

"네!" 드리머는 자신 있게 대답하며 공연이 시작되는 곳으로 갔다. '잘해 보자!' 그는 속으로 응원을 하며 공연을 시작했다.

드리머가 공연을 시작하자, 처음 연습할 때는 잊었었던 음악이 흘러나왔다. 음악이 조용한 것이 그의 주제인 일상과 어울렸다.

'좋아, 드리머. 음악 선택을 잘했구나.' 처음부터 달라진 드리머의 모습에 만족한 마션이 음악 소리에 미소를 지었다. '준비도 완벽했고 음악도 골랐고 자신감도 넘치는 것 같아.' 그가 속으로 드리머를 평가하는데, 처음 평가를 했을 때보다 긍정적인 것들이 많았다.

드리머의 공연은 무난히 중간까지 왔고 그가 새로 만든 시계를 사용하는 장면으로 넘어왔다. 마션은 처음 본 시계에 눈이 갔고 어떻게 사용할지 그의 손짓과 표정을 유심히 보았다.

드리머는 전에 아이들에게 보여 주었을 때 들었던 고쳐야 할 점을 생각하며 더 주의 깊게 시작했다.

평범하게 의자에 앉은 드리머는 책상 위에 놓인 시계를 들어서 확인한 다음에 마션이 볼 수 있도록 시계를 돌렸고 시곗바늘을 가리켜서 강조하며 마션이 그것을 보는 모습을 확인했다. '좋아. 마션이 시계를 봤어.' 그는 시계를 놓고 필기도구로 아름다운 빈 책에다가 적는 척을 했고 마션이 시곗바늘을 잊지 않도록 다시 가리키며 강조했다.

마션은 턱을 쓰다듬으며 흥미로워했다.

드리머는 책을 읽는 척하면서 자연스럽게 필기도구로 시곗바늘을 돌렸다. 시곗바늘이 돌아가는 것을 놓치지 않은 마션은 고개를 끄덕이며 괜찮았다는 것을 인정했다. '좋다. 드리머. 정말 좋아졌어.' 너무나도 좋아진 드리머의 모습에 그는 처음 평가를 할 때 드리머를 긴장하게 했던 적는 척을 해 보았다. '드리머가 이것을 보았는데도 괜찮게 한다면 정말로 좋아진 거야. 공연이 끝나고 물

공연 전 마지막 연습

어볼 것도 있으니까, 겸사겸사 적어 놓아야겠어.'

드리머는 종이에 무언가를 적는 마션의 모습에 약간 흔들렸지만, 심하게 흔들리지 않아서 금세 공연에 집중할 수 있었다. '괜찮아. 잘하고 있어.' 그는 마션이 적는 모습에도 기가 죽지 않았고 오히려 자신을 응원했다.

마션의 어떤 행동에도 실수를 하지 않은 드리머는 웃으며 공연을 마무리할 수 있었다.

"정말 잘했구나. 드리머." 마션은 적고 있던 종이를 잡고 박수를 쳤다. "네가 생각해도 좋게 끝나지 않았니?"

드리머는 좋아하며 고개를 끄덕였다. '그런데 아까 마션은 무엇을 적은 걸까?' 그는 좋아하며 마션이 들고 있는 종이를 보려고 시선을 바쁘게 움직였다.

드리머의 눈동자를 본 마션은 종이를 그에게 내밀었다.

"이게 궁금한 눈치구나."

"네. 내가 공연을 할 때 뭔가를 적는 것을 봤어요. 혹시 공연에 부족한 점이 있었나요?"

마션은 고개를 저으며 물어보려던 것을 물었다.

"그게 아니란다. 내가 궁금한 것을 적어 놓았던 거였지. 이참에 물어보고 싶구나. 어떻게 연습을 했기에 그렇게 좋아졌는지 말해줄 수 있니?"

행복해하는 드리머가 그 과정을 떠올리며 대답했다.

"나는 여름 시기 동안 여러 곳을 다녀왔어요. 어르신 부부가 사는 바닷가와 할아버지 할머니, 외할머니, 외할아버지네에 들렀어요. 전에 바닷가에서 마션을 만나서 처음으로 많은 사람들 앞에서 공연을 해 보았고 거기서 얻은 용기로 할아버지와 할머니네에서 공연을 연습하면서 부족한 점과 고칠 점, 새롭게 할 내용에 대해 연습하고 마지막으로 외할머니와 외할아버지네에서 연습을 끝낼 수 있었죠." 드리머는 잠깐 쉬었다가 말을 이어 갔다. "그리고 이

공연 전 마지막 연습

곳에 오기 전에 친구들과 같이 모여서 마지막 연습을 하며 완벽한 공연을 이룰 수 있게 된 것 같아요."

"그랬구나. 너희 모두의 공연이 좋아진 이유가 가까이에 있었구나." 마션은 드리머의 머리를 쓰다듬었다. "잘했구나. 이제 우리가 함께할 공연에 대해 의논을 해 보자꾸나."

마션이 나가고 드리머는 공연을 한 것을 정리했다. '정리하고 바로 모이라고 했으니까, 미리 생각해 놓는 게 좋겠다.' 그는 같이 할 만한 공연을 정리하면서 구상해 보았다. '우리가 같이할 만한 것은 운동이나 놀이 같은 게 있는데, 놀이는 아닌 거 같고…' 정리를 마쳤지만, 같이할 만한 것을 생각하지 못한 그는 그를 기다리고 있는 마션과 아이들에게 갔다.

"어서 오렴. 드리머." 작고 긴 의자에 앉은 마션이 드리머에게 어서 오라며 손짓했다.

드리머는 아이들이 앉은 소파에 앉았다.

"너희가 할 수 있는 것들을 한번 나열해 볼까?" 마션이 가장 왼쪽에 앉아 있는 류인태를 보며 물었다. "인태부터 한번 말해 보렴."

"나는 웬만한 것들은 할 수 있을 것 같아요."

"나도 그렇게 생각해. 그러면 아인은?"

"나는… 음… 공연은 잘 모르겠지만, 만들기는 자신 있을 것 같아요."

"만들기도 좋지만, 공연에 참여를 할 수 있으면 좋겠는데…"

아인이 잘 고르지 못해서 드리머가 말했다.

"아인은 연기를 잘하는 거 같아요. 그걸 활용하면 되지 않을까요?"

마션은 아인이 당장 무엇을 하는 게 좋을지 생각나지 않아서 참고하기로 하고 복태현을 보았다.

"나는 도구를 이용하는 게 좋은 거 같아요."

공연 전 마지막 연습

"도구를 이용한 건 쉽게 할 수 있겠지만, 만드는 게 힘들겠지? 마지막으로 드리머."

"나는 자석을 이용한 것을 잘할 수 있을 것 같아요."

"그렇구나. 그러면 방금 한 말들을 참고해서 내가 한번 생각해 봐야겠구나. 다들 연습은 잘했으니까, 자유롭게 연습을 하거나 쉬면서 의견을 내 주었으면 좋겠다."

마션은 아이들에게 가서 쉬라고 손짓했다.

연습이 끝나서 드리머는 궁금했던 것을 물어보았다.

"이제 연습도 다했고 새로운 공연을 생각해야 하는데, 다른 방으로 들어가도 되는 건가요?"

"그렇단다. 방에 들어가지 못하게 한 것은 그만큼 비밀을 들키지 않는 게 중요하다는 것을 알려 주고 싶었던 것이란다."

드리머는 활짝 웃으며 방으로 갔고 아인은 그녀의 방으로 갔다가 그의 방으로 갔다.

"드리머, 우리가 할 수 있는 게 뭐가 있을까?"

"아인은 연기를 잘하고 인태는 기술이 좋고 태현은 도구가 있으니까, 나랑 태현이 인태가 말한 것을 토대로 도구를 만들고 네가 그걸 가지고 공연을 한다면 좋겠는데…"

"모두가 같이해야 하니까, 그건 할 수 없어."

드리머는 생각과 현실이 다르다는 것에 아쉬웠지만, 현실을 받아들이기로 했다.

류인태와 복태현이 와서 같이 의논하고 구상을 해 보려고 했지만, 모두 비슷한 생각이어서 나아진 것은 없었다.

"아무래도 우리끼리는 답이 나오지 않아."

아인은 풀리지 않는 숙제에 기지개를 폈다.

소파에 앉아 있는 드리머는 다리와 팔을 쭉 뻗으며 뻣뻣해진 몸을 풀어 주었다.

"이제 쉽고 편하게 움직일 수 있는데, 뭔가 어려워진 거 같아."

공연 전 마지막 연습

"그래도 우리가 공연을 할 수 있는 상태여서 다행이야."

그들이 대화를 나누고 있는데, 기분이 좋아 보이는 마션이 들어왔다.

"내가 생각한 것이 있는데, 한번 들어 보렴."

아이들은 마션의 표정을 보고 구상이 잘된 것 같다는 생각이 들어서 기대하며 들었다.

"내가 주로 하는 것은 구름이란다. 구름을 이용한 것을 해 보려고 한단다." 마션은 류인태를 보며 그의 역할을 알려 주었다. "인태는 구름을 만드는 역할을 할 거란다. 네가 공연을 하는 것처럼 하면 내가 구름을 만들어 줄 테니까, 자연스럽게 구름을 가지고 공연을 하면 된단다."

"네!" 류인태는 시작이라는 것에 하늘을 날아갈 것 같았다.

"그 다음으로 아인이 나오는 거란다." 마션이 아인을 보았다. "아인은 구름을 가지고 노는 장면을 연기하면 되는데, 아인이 구름을 가지고 노는 장면을 연기할 때 인태가 빠지고 그때!" 그가 드리머를 보았다. "드리머가 들어오는 거고 자석을 이용한 도구로 구름을 멀리 보냈다가 가져오는 것으로 할 거란다."

"자석을 이용한 도구를 다시 만들어야 하나요?"

드리머는 도구를 만드는 데 시간이 걸릴 거 같아서 할 수 있을까 하는 의문이 들었다.

드리머의 성격을 어느 정도 파악한 마션이 별 것 아니라는 듯이 크게 웃었다. "하하하! 드리머. 이번에 만들 건 크게 어렵지 않고 쉽게 만들 수 있을 거란다." 그는 드리머가 걱정할 수도 있을 것 같아서 그린 것을 보여 주었다. "이 정도만 해도 괜찮으니까, 너무 걱정할 것 없단다."

드리머는 마션이 보여 준 것을 보았다.

마션이 그린 것은 자석 두 개를 사용해서 하는 것인데, 딱히 어떤 것을 만드는 것이 아니었고 손 모양에 자석을 붙인 것이었다.

"자석을 손으로 잡고 있으면 되는 건가요?"

"그게 아니고 이걸 사용하는 거란다."

마션이 드리머의 손을 모아서 밑에 둔 뒤에 손을 펼쳤는데, 아무것도 일어나지 않아서 드리머는 그의 손등을 보았다.

"자석이 손바닥에 있는 건가요?"

"훗." 마션이 손을 좌우로 흔들었더니 손바닥에서 자석이 떨어졌다. "이게 이것의 비밀이지." 그는 손바닥에 아무것도 없다는 것을 보여 주며 드리머를 혼란스럽게했다.

드리머는 손바닥을 잡으려다가 말았다. "혹시 손바닥을 만져 봐도 되나요?" 그가 마션의 손바닥을 만지고 싶다는 듯한 손짓을 하며 물었다.

마션은 한 치의 망설임도 없이 그래도 된다며 드리머에게 손을 내밀었다. 드리머가 그의 손바닥을 만져 보았지만, 특별한 것은 보이거나 느껴지지 않았다. 그는 손바닥을 이리저리 보는 드리머를 보고 웃었다.

"하하하! 드리머, 이 손바닥을 만져 보고도 뭔가를 느끼지 못한 거니?"

"네." 드리머는 마션의 말에 정답이 있을 것 같다고 생각했다. '혹시 마션의 손에 비밀이 있는 건데, 만지면 쉽게 알 수 있는 건가?' 그는 무엇을 놓친 것인지 마션의 손바닥을 뚫어져라 보았다.

"사실, 손바닥을 만지는 것만으로는 찾을 수 없단다." 드리머가 잡고 있던 손을 뺀 마션이 팔꿈치를 접으며 손을 올렸다. "이제 조금 달라질 거란다." 그는 팔을 내리지 않고 드리머가 가지고 있는 동전을 가리켰다.

드리머는 마션이 가리킨 동전을 손바닥에다가 두었고 마션이 올린 손을 내리면서 동전 위에다가 대었더니, 동전이 마션의 손바닥으로 올라갔다.

공연 전 마지막 연습

드리머는 아무것도 없는 손바닥에 동전이 올라간 것이 신기했다. "와아! 이것 좀 봐 봐!" 그는 옆에서 같이 보고 있던 아이들을 보며 외쳤다.

"우리도 보고 있긴 해. 정말 신기한걸."

류인태가 마션이 사용한 비밀에 대해 알 듯해서 고개를 갸우뚱하며 생각했다. '자석은 보이지 않는데, 자석하고 비슷한 게 있을까?' 그는 마션이 할 수 있는 방법을 생각해 보았다. '자석 말고는 실이나 동전을 숨겼던 걸까?'

마션은 그들이 어느 정도 추측을 했을 거라고 생각하고 가짜 손에서 손을 뺐다. "와아." 그들은 가짜 손이라는 것을 알고 감탄을 했고 말문이 막혔다.

"드리머, 이걸 한번 사용해 보렴. 이건 내 손 크기에 맞춰서 만든 것이어서 조금 클 거란다."

드리머는 마션이 준 가짜 손을 착용했다. '이상한 느낌이 드네.' 가짜 손을 착용한 그의 손 주위로 느껴지는 것이 이상했다.

"엄지를 움직이다 보면 뭔가가 만져지는데, 그게 가짜 손을 작동시키는 방법이란다."

드리머는 마션의 설명에 따라 엄지를 움직여서 가짜 손을 작동시켰다. 가짜 손의 외형은 딱히 변한 것은 없지만, 그가 자석에 가짜 손을 대었더니 자석이 손에 붙었다.

"엄지에 있는 걸 누르면 자석이 붙게 되는 건가요?"

"그렇단다. 엄지에 있는 장치를 누르면 가짜 손으로 자석을 사용할 수 있지."

아인과 류인태, 복태현도 가짜 손을 착용해 보고 싶어서 달라고 했다. 드리머는 모두가 가짜 손을 달라고 해서 아무나 가져가라고 내밀었다.

드리머와 가장 가까이에 있던 류인태가 가짜 손을 가지고 가서 착용했다. "느낌이 이상하긴 하다." 그는 이상하다는 것을 말하고서 바로 마션이 말한 장치를 눌렀다. '음… 정말 다른 건 없는 거 같은데?' 그는 자석을 붙게 할 수 있는 건지 몰라서 드리머가 가지고 있는 자석에 대었더니 자석이 가짜 손에 붙었다. "이렇게 하는 거였어!" 그는 새로운 발견에 기분이 좋았다.

아인과 복태현도 해 보고 싶다며 류인태에게 달라고 했다.

이미 가짜 손을 착용했던 드리머는 마션에게 방법을 들었다.

"우선 네가 해야 하는 일은 이 손을 이용해서 구름을 왔다 갔다 하는 것처럼 보이게 하는 거란다." 마션은 드리머가 이해를 잘 못 할 수도 있을 것 같아서 자세하게 알려 주었다. "이 얇은 자석을 사용할 거고 가짜 손을 양손에다가 착용해서 사용하면 되는데, 자석을 다른 손으로 옮기고 싶을 때는 자석을 가지고 있는 손의 장치를 눌러서 작동을 멈추고서 다른 손 주위에 던지면 된단다." 그는 가짜 손이 있다고 가정을 하면서 드리머에게 보여 주었다. "이쪽 손에 자석이 있다면 이쪽 손의 작동을 멈춘 뒤에 다른 손 주위로 던지면 된단다. 그리고 다른 손에 자석이 붙을 수 있게 작동을 시키면 자석이 다른 손에 붙겠지? 그걸 하면 된단다."

드리머는 머리를 긁적이며 구름을 어떻게 해야 하는 건지 궁금해했다.

마션은 드리머가 왜 궁금해하는 표정을 짓는지 생각하다가 구름이 떠올랐다.

"구름은 네가 할 필요는 없어. 구름의 시작은 인태부터니까, 그 구름을 가지고 네가 이어서 하면 된단다. 그리고 마지막으로 나한테 전달하면서 끝을 낼 것이니, 걱정하지 마렴."

드리머는 궁금했던 점들을 모두 들어서 다행이라고 생각했다.

18
우리의 무대

마션과 아이들은 공연을 하는 장소의 대기실로 모였다.

"이제 준비는 다 된 거니?"

마션이 아이들의 표정을 보며 물었다.

"네!" 아이들의 표정을 보면 큰 결심을 했다는 것을 알 수 있었다.

마션은 웃으면서 차례를 다시 한번 알려 주었고 공연을 하는 무대로 나갔다. "안녕하세요." 그가 인사를 하며 진행을 하는데, 다른 공연과는 다르게 차분한 분위기였다.

드리머는 주먹을 쥔 손을 올렸다.

"우리 잘해 보자! 이번이 정말 마지막이야!"

"그래!" 아이들은 모두 긴장을 하지 않는지 즐겁고 행복해 보였다.

아이들은 각자 자신의 차례와 마지막에 같이하는 공연의 순서를 생각하며 대기실에서 마션의 진행에 귀를 기울였다.

"자, 그럼 이제…"

마션이 시작을 알리는 말을 하려고 해서 처음으로 들어가는 복태현이 준비를 하며 대기실에서 나갔다.

"이제 시작인가 봐! 정말 멋지지 않니?"

신이 나서 몸이 떨리는 류인태가 물었다.

"응! 얼마나 많이 있을까?"

기대하는 아인이 대기실 문을 보며 물었다.

마션이 대기실에 와서 남은 아이들을 보았다. "긴장이 되는 거니?" 아이들은 그의 질문에 그렇지 않다고 고개를 저었다. "그러면 왜 그런 표정을 짓고 있는 거니?"

"혹시 공연을 볼 수는 없을까요?"

류인태가 텔레비전을 가리키며 물었다.

마션은 깜빡했다는 손짓을 하며 텔레비전을 틀어 주었다.

"오오. 태현이 공연하고 있어!"

아인이 텔레비전에 나오는 복태현의 모습을 보며 재미있어했다.

마션은 다음 차례인 아인이 준비되었는지 확인을 하고서 도구를 하나씩 확인했다.

드리머가 텔레비전을 보면서 물었다.

"이번 공연은 어떨 것 같아? 화면으로는 태현이만 보이지만, 소리를 들어 보면 사람들이 많을 거 같지 않니?"

"음… 아무래도 그럴 거 같아. 소리가 심상치 않아."

류인태는 드리머의 긴장을 풀어 주려고 물음에 진지한 표정을 지으며 농담했다.

"그렇겠지?"

드리머의 마음이 흔들리려는 순간 아인이 말했다.

"드리머 전에 네가 보내 주었던 거 기억 안 나니?"

"전에 보여 주었던 거?"

드리머는 아인이 무엇을 말하는지 궁금해했다.

"전에 마션과 함께했던 공연 말이야. 그때 사람들도 많았던 거 같은데?"

아인이 드리머가 용기를 잃지 않게 하려고 말을 하는데, 공연을 할 차례가 되어서 도구들을 가지고 대기실을 나갔다.

우리의 무대

드리머는 아인이 더 말을 하지 않았지만, 용기를 잃지 않으려고 속으로 자신을 칭찬하며 응원했다. '그래. 할 수 있어. 그때도 사람들이 많았었는데, 잘했으니까. 연습도 많이 했어.' 그는 마션과 공연을 했을 때를 떠올렸다.

복태현이 대기실로 와서 같이하려고 하는 공연의 동작을 연습했다. 드리머는 그가 공연을 마치고 와서 어땠는지 무척이나 궁금했다.

"태현, 공연은 어땠니?"

"잘한 거 같아! 사람들이 재미있어하는 거 같아서 기분도 좋더라고!"

"사람들이 많니?"

"내 생각에는 많은 거 같아!" 복태현이 공연했을 때의 기분을 드리머에게 말하면서 신이 났다. "많은 사람들이 내 공연을 보면서 즐거워하는 것 같아서 더 재미있게 했던 거 같아."

"그래?" 드리머는 사람들이 많으면 긴장할 것 같았는데, 복태현의 신이 난 표정과 행동에 그가 생각했던 것이 틀렸을 수도 있다는 생각을 했다. '태현이도 그렇고… 아인이도 그렇고… 모두 다 즐거워하는 것 같아.' 그는 아인이 공연하는 모습을 보면서 깨달았다. '그래. 지금 중요한 건 잘하느냐가 아니고 즐기는 거야!' 그는 즐기자는 생각으로 마음을 비웠다.

"다음은 드리머지?"

류인태가 도구들을 하나씩 보면서 물었다.

드리머는 고개를 끄덕이며 미소를 보였다.

'다음은 내가 할 차례니까, 준비하자.'

아인의 공연이 거의 다 끝나 가서 드리머는 대기실에서 나갔다. 대기실을 나가면 무대 옆쪽에 보이지 않는 작은 공간이 있는데, 그 공간은 어두워서 잘 보이지 않고 약간 좁지만, 앞 사람의 공연이 끝나면 바로 들어갈 수 있어서 좋았다.

우리의 무대

드리머는 아인의 공연이 끝나 가서 기대가 되었지만, 막상 무대에 올라간다는 생각을 했더니 손이 약간 떨렸다.

공연이 끝나고 드리머에게 오는 아인이 활짝 미소를 지으며 잘하라고 손짓했다. 그는 그녀의 밝은 표정에 힘을 얻을 수 있었다.

드리머가 무대 위로 올라갔지만, 그가 할 공연을 아직 준비하는 중이어서 막이 쳐져 있었다. 그는 몇 명이나 왔는지 모르지만, 공연에 집중하기로 했다. '이건 여기에… 저건 저기에…' 그는 맞는 곳에 도구를 배치했다.

준비를 마친 드리머는 막을 쳐야 해서 마션을 보았고 마션은 시작 신호에 막을 쳤다.

짝짝짝. 막이 쳐지고 사람들의 박수 소리가 들렸다.

드리머는 생각보다 많은 사람들에 놀랐지만, 긴장하지 않았다. '이제 시작하면 돼!' 그는 침착하게 공연을 시작했다.

드리머는 시작으로 가방을 메고 오는 장면을 연출했다. 그는 관객들이 많지만, 여유롭게 손을 흔들며 침대가 있는 곳으로 가서 가방을 내려놓았다. '이제 밥을 먹는 장면이야.' 식탁으로 간 그는 배가 고프다는 손짓을 하며 연기했다. 그가 연습을 할 때와 다른 것은 그가 무언가를 할 때마다 관객들의 박수 소리가 들리는 것이었다.

'이걸 말하는 거였나?' 드리머는 박수 소리에 감격했다. '애들이 말한 게 맞았어!' 처음 도구를 들었을 때보다 더 여유를 찾아서 그의 표정은 연습할 때를 포함해서 가장 좋았다.

"드리머의 표정이 좋아졌어."

"그러게 아마도 우리가 말한 것을 느낀 게 아닐까?"

연습을 하던 아인과 복태현은 드리머가 공연하는 모습을 텔레비전으로 보며 나아진 그의 모습에 다행이라고 생각했다.

"이제 드리머가 가장 잘할 수도 있겠구나."

마션이 아인과 복태현에게 농담했다.

우리의 무대

밥을 먹는 장면을 끝내고 가장 중요한 장면인 공부를 하는 장면으로 넘어간 드리머는 다른 장면보다 더 신중하게 시작했다. '관객들이 시계를 잘 볼 수 있도록 해야 해.' 그는 책상 위에 놓인 시계를 가리키며 관객들이 조금 더 여유롭게 시곗바늘을 볼 수 있도록 무엇을 할지 고민하는 척 연기를 했다. 고민하는 척하면서 관객들의 시선을 본 드리머는 어느 정도 다 보았을 거라고 추측하며 아름다운 빈 책의 표지를 관객들에게 보여 주며 펼쳤다.

아름다운 빈 책의 표지를 본 관객들은 조용했지만, 표정은 그렇지 않았다.

드리머는 책을 내려놓고 필기도구를 들었고 서랍에 꽂아 두었던 종이를 가져와서 그곳에 필기를 했다. 종이에 필기를 하면서 자연스럽게 시계를 돌린 그는 종이에 필기를 끝낸 뒤에 시계를 확인했다.

"오!" 관객들의 반응은 몰랐던 것을 알게 되었을 때의 깜짝 놀람이지만, 공연 중에 웬만하면 소리를 내면 안 되었기에 금세 조용해졌다.

그들이 놀란 작은 순간은 드리머의 기분을 좋게 했고 시계를 잘 보여 주었다는 것에 뿌듯했다. '이제 마지막으로 넘어가면 되겠다!' 그는 마지막 장면인 잠을 자는 장면으로 넘어갔다. '이불하고 베개를 잡고 각각 맞는 자석인지 확인한 뒤에 펼치면 돼.' 그는 이불에서 베개를 꺼내는 과정을 자석으로 더 신기하게 바꾸었다.

툭. 툭. 드리머가 가지고 있던 자석과 이불과 베개에 고정해 둔 자석이 잘 붙었는지 확인을 한 뒤에 베개를 뺐고 침대에 누우면서 마무리를 했다.

관객들은 드리머의 공연에 박수를 보냈고 바람개비가 돌아가면서 인공눈을 뿌리는 상태로 막이 쳐졌다.

마션이 들어오고 드리머는 침대에서 일어났다.

"빨리 나가자구나. 드리머."

우리의 무대

드리머는 마션과 함께 공연에 사용했던 도구들과 물건들을 가지고 계단이 있는 곳에 놓고서 류인태의 공연에 필요한 것들을 준비하는 것을 도왔다.

드리머는 도구를 들고 온 류인태를 보고 활짝 웃으면서 힘내라고 했고 류인태는 그의 미소에 답을 하듯이 웃음을 보였다.

대기실로 가서 아인과 복태현이 드리머를 격하게 반겼다.

"드리머 정말 잘했어!"

"그래! 여태까지 봐 왔던 네 모습 중에 가장 멋졌어!"

아인과 복태현이 드리머를 칭찬해서 그는 어쩔 줄 몰라 했다. "고마워. 너희 말이 맞았어." 그는 고마워하면서 사용한 도구들을 다시 정리해 두었다.

"이제 우리는 같이하는 공연만 남았어."

"드리머, 네가 마지막이지?"

다음에 있을 도구를 확인하는 드리머가 아인과 복태현을 보고 고개를 끄덕였다.

"맞아. 내가 마지막이고 마무리를 마션이 한다고 했어."

"마무리를 잘해 보자!"

아인이 힘차게 외치면서 각자 연습을 했다.

마션은 공연 전에 아이들이 연습을 하더라도 말리거나 뭐라고 하지 않고 같이 장난을 치며 그들이 긴장하지 않게 했다.

류인태의 공연이 거의 다 끝나 가서 마션이 말했다. "준비를 하고 있으렴. 이제 곧 시작할 거니까!" 그는 가벼운 발걸음으로 대기실에서 나갔다.

류인태가 들어와서 바로 다음 공연에 사용할 도구들을 챙겼다.

"맞다. 인태는 바로 들어가야 하지?"

"놓고 가는 건 없니?"

"응! 공연하기 전에 미리 준비했거든!" 마션이 공연을 할 때 대기실에서 나오라고 했던 장면을 본 류인태는 도구를 가지고 대기실에서 나갔다. "그럼 잘해 보자! 마지막까지 힘내자!"

류인태가 마지막 공연을 위해 대기실에서 나가자 드리머와 아인, 복태현은 점점 마음이 설렜다.

"드디어 마지막이야."

아인이 반짝이는 눈으로 말했다.

드리머는 긴장이 되면서도 마지막이 어떨지 궁금했다.

"전에 마션이 어떻게 끝내는지 말을 해 주었었니?"

"아니. 나는 들은 게 없는데… 태현은 들었니?"

아인이 복태현에게 물었지만, 마션이 무엇을 할지 듣지 못한 그는 고개를 저었다.

대기실에 남아 있는 아이들은 마션이 어떻게 마무리를 할지 궁금해서 문 앞에서 그를 기다렸다.

"벌써 끝났을 텐데, 아직 안 들어오네."

마션이 들어올 만한 시간 동안 아이들이 문 앞에서 기다렸지만, 그는 들어오지 않았다.

"뭐지? 아직도 뭘 하고 있는 건가?"

"인태가 시작이어서 구름을 만들어 준다고 했었잖아. 그래서 아직 안 들어오는 게 아닐까?"

"그럴 수 있겠다. 텔레비전을 한번 봐 보자!"

드리머와 아인과 함께 문 앞에서 기다리던 복태현은 텔레비전을 보러 갔다.

"인태가 구름으로 공연을 하고 있어!"

"그렇구나!" 뭔가를 깨달았다는 듯한 손동작을 한 아인이 말했다. "구름을 인태가 직접 조종을 할 수 없는 걸 거야. 그래서 마션이 대신 구름을 조종하고 있느라 들어오지 않는 거겠지?"

"그렇겠구나! 그래서 들어오지 않았어." 텔레비전을 보던 복태현이 말했다. "그런데 이제 아인이 들어가야 하지 않니?"

류인태의 다음 차례인 아인이 화들짝 놀라며 텔레비전을 보았고

우리의 무대

곧 들어가야 할 수도 있어서 다급하게 도구들을 챙겨서 대기실을 나갔다.

드리머와 복태현은 마션의 마지막을 궁금해하는 것이 아닌 아인이 잘 들어갔는지에 중점을 두었다.

"아인이는 잘 들어갔니?"

"아직 아인이 나오지는 않았어."

복태현이 텔레비전을 가리키며 말했다.

드리머는 복태현과 같이 텔레비전을 보면서 공연에 집중했다.

류인태의 공연이 끝나 갈 즈음에 아인이 무대로 들어갔고 그는 그녀에게 구름을 전달하면서 공연을 마무리했다.

류인태의 공연이 끝나면서 그를 비추던 빛이 아인을 비추면서 시선을 집중시켰고 그는 대기실로 내려왔다.

"후우!" 류인태가 괜찮게 끝난 것 같아서 기분 좋게 한숨을 내쉬었다. "이제 끝났다." 다 끝난 그는 마음 편히 도구를 정리하고서 소파에 앉았다.

드리머는 앞으로 다가오는 자신의 차례에 긴장이 되어서 소파에 여유롭게 앉아 있는 류인태가 부러웠다.

복태현이 들어가야 할 차례가 되어서 도구를 챙겼다.

"잘하고 와!" 소파에 앉아서 쉬는 류인태가 팔을 흔들며 응원했고 복태현은 해맑게 도구를 든 손을 작게 흔들며 대기실에서 나갔다.

복태현 다음으로 무대로 가야 하는 드리머는 전에 긴장해서 실수했던 것을 하지 않으려고 심호흡을 하며 평정심을 유지하려 했다. '이럴 때 차가 있었다면 도움이 됐을까?' 그는 여름 시기 때 어머니가 추천해 주었던 따뜻한 차가 떠올랐다.

아인이 들어오고 도구들을 정리하면서 류인태에게 물었다.

"인태, 혹시 마션이 어떻게 끝내는지 알고 있니?"

류인태는 눈동자를 이리저리 굴리면서 마션이 어떻게 끝낼지 생

우리의 무대

각하다가 고개를 저었다.

"정말 궁금하다. 마션이 어떻게 끝낼지." 드리머는 여름 시기에 마션이 끝냈던 장면을 기억해 보았다. "전에 여름 시기 때, 마션이 공연하는 것을 보았는데 그때는 연기를 사용해서 다른 곳으로 이동하는 거였어. … 혹시 그 방법을 또 사용하려나?"

"그럴 수도 있을 것 같아. 이번에 구름을 사용하는 거니까…"

마션의 공연을 봐 왔던 류인태는 마션이 드리머가 말한 방법을 많이 사용했었기에 납득이 갔다.

복태현의 공연이 거의 끝나 가서 드리머는 가짜 손 자석을 착용하고 문으로 갔다. '아직 기능을 작동시키지 않았어.' 그는 자석이 통하는지 확인을 한 뒤에 대기실에서 나갔다.

어두운 공간에 있는 마션이 구름을 보며 양팔을 열심히 움직이고 있었고 구름을 움직이면서도 여유롭게 드리머를 보며 잘하라고 웃은 뒤에 다시 복태현과 구름을 보았다.

언제 들어가야 할지 보던 드리머는 복태현이 무대에서 내려와서 심호흡을 하며 계단을 올라갔다.

천막집에서 나오는 설정으로 시작하는 드리머는 잠을 자고 일어난 것처럼 연기를 하며 천막집에서 나왔다.

"하암!" 천막집에서 나온 드리머는 양팔을 위로 쭉 뻗으면서 기지개를 폈고 자석 기능을 작동시켰다. '이제 구름을 가져오는 척하면서 연기를 해야 해.' 그는 구름을 가져오려고 구름이 없어진 곳을 가리켰다.

관객들에게 보이지 않는 곳에서 구름을 조종하던 마션은 드리머의 손짓에 맞춰서 구름을 그의 손으로 옮겼고 무사히 도착해서 그는 자연스럽게 구름을 가지고 노는 장면을 연기했다.

드리머가 손을 크게 움직이면서 자석에 붙은 구름을 부드럽게 움직였다. '천천히 관객들에게 신비함을 줄 수 있도록…' 그는 속으로 어떻게 해야 하는지 생각하면서 차분하게 했다.

우리의 무대

구름이 움직이는 것을 보던 마션이 도구를 챙기려고 대기실로 들어왔다.

"어? 마션?" 대기실에서 드리머의 공연을 보던 아이들은 구름을 조종해야 하는 마션이 들어와서 놀랐다. "구름은 어떻게 되는 건가요?"

"구름? 구름은 드리머가 잘 가지고 있지."

텔레비전을 가리키고 도구를 챙기는 마션의 모습은 뭐가 문제냐고 묻는 듯했다.

아이들은 드리머가 실수를 하게 된다면 비밀이 들통날 수도 있겠다는 생각을 하며 텔레비전을 보았다.

"드리머가 실수를 하면 끝나."

"실수를 하지 않기를 바라야지. … 지금 드리머의 모습을 보면 긴장한 것 같지는 않아 보여서 다행이야."

아인과 류인태는 걱정을 하면서 보았지만, 복태현은 드리머가 잘할 거라는 믿음으로 아무 말도 하지 않았다.

'잘 끝낼 수 있어. 드리머.'

도구를 챙긴 마션은 마지막 장면을 위해 대기실에서 나갔다.

"이제 공연을 위해 대기실에서 나가는 건 마지막이야."

아인은 공연이 잘 끝나 가고 있어서 기대하며 설렜다.

드리머의 공연은 막바지에 다다랐다. '이제 마션에게 구름을 넘겨주면 되는 건데…' 그는 마션이 있는지 확인을 했고 구름을 넘겨주려다가 마션이 무대로 올라오지 않아서 다시 생각해 보았다. '마지막에 바꾸기로 했었나?' 마션과 마지막 장면에 대해 이야기를 하다가 두 가지의 경우가 생겼었는데, 원래 하던 대로 하기로 기억하고 있던 그는 약간 당황스러웠다. '아직 공연 시간이 조금 남았으니까, 천천히 다시 생각해 보자.' 그는 음악이 끝나지 않아서 음악에 맞춰서 움직였다.

사실 마션은 드리머와 약속한 것을 알고 있지만, 일부러 조금

우리의 무대

늦게 가면서 드리머의 상태를 확인한 것이었다. 그는 드리머가 잘 대처해서 웃음을 지으며 구름을 여러 개를 만들어서 무대로 보냈다.

'어? 구름이야…' 드리머는 구름들이 몰려오는 것을 보고 마션이 신호를 보냈다는 것을 알았다. '마션이 오는 거야. 나는 이곳에서 내려가야 해.' 마션이 올라오는 모습을 힐끗거리며 보는 그는 무대에서 내려가는 계단을 향해 천천히 이동했다.

마션은 잘했다며 드리머의 머리를 쓰다듬고서 공연을 이어 갔다.

"와야!" 대기실로 들어간 드리머는 아이들의 감탄을 들었다.

"왜? 무슨 일이야?"

"마션이 등장한 장면이 정말 멋져서… 한번 봐 봐!"

아인이 드리머에게 빨리 오라고 손짓했다.

마션이 등장하면서 뭉쳤던 구름들이 안개처럼 되면서 그의 모습을 희미하게 보여 주었고 그의 손짓에 희미하게 도구들의 틀이 보였다.

"와! 정말 멋지다!" 마션의 등장을 본 드리머는 실력이 많이 부족하다는 것을 느꼈다. "저 정도로 하려면 오래 걸리겠지?"

아이들은 드리머에게 잘했다고 손짓했다.

"굳이 저 정도까지 할 필요는 없지만, 네가 노력하면 오늘처럼 될 거야. 오늘 정말 잘했어!"

드리머는 공연을 하면서 느꼈던 즐거움에 뿌듯했다.

마션이 손짓을 하자 안개가 한 번에 사라지면서 꽃과 어떤 종이를 들고 있는 그의 모습이 나타났고 꽃을 던진 그가 종이로 꽃을 맞추었더니 꽃이 퍼지면서 공중에서 천천히 흩날렸다. 꽃이 다 떨어지고 눈을 감은 채로 양손을 서서히 펼친 그는 가만히 서서 관객들의 이목을 끌었다.

"왜 마션은 아무것도 하지 않는 거니?"

우리의 무대

처음 보는 마션의 행동에 궁금해진 드리머가 물었다.

마션에 관련된 영상들을 많이 본 류인태가 설명했다.

"그건 마션마다 관객들이 주목할 수 있도록 하는 방법들이 다양한데… 그중에 하나가 저렇게 가만히 서 있는 거야. … 드리머, 네가 공연을 할 때 어떻게 주목을 시켰었니?"

"나는 시계에 주목을 시켜야 해서 시계를 자주 가리켰던 것 같아."

"맞아. 네가 하는 공연에서 가장 중요한 것이 시계니까, 관객들이 그것을 못 보면 의미가 없어지지." 류인태가 마션을 가리켰다. "네게 시계가 중요하듯이 마션에게는 다른 도구보다도 손짓과 표정이 중요한 것이어서 네가 시계를 자주 가리키는 것처럼 모습을 계속 보여 주는 거지."

"한마디로 집중을 시키는 게 중요하다는 거지?"

"맞아. 그걸 너무 자세하게 말했네."

공연에 대해 말하느라 흥분한 류인태가 머리를 긁적이며 마음을 가라앉혔다.

드리머는 류인태가 좋아하는 모습이 한편으로는 부러웠다.

'역시 인태는 마션을 해야겠다. 나중에 마션처럼 무대에서 멋진 공연을 하겠지?'

마션의 공연 중에 구름을 이용해서 여러 모양들을 만드는 것이 있는데, 아이들에게 인기가 많았다.

드리머는 마션이 구름으로 만든 것을 보다가 여름 시기가 생각났다. '만약에 여름 시기 때처럼 공연을 하는 거라면 마지막에 큰 모양을 만들고 연기가 퍼지면서 사라지는 거지.' 그는 마션의 공연이 어떻게 끝날지 예측해 보았다.

마션은 구름을 다른 도구들 사이로 통과시키거나 크기를 조절하거나 사라지게 하면서 자유자재로 움직이게 했고 관객들은 단순히 멋있다가 아닌 그 이상의 반응을 보였다. 소파에 앉아서 텔레비전을 보는 아이들도 마션의 공연이 어려워 보이는데, 쉽게 하는 그를 보며 감탄했다.

"어떻게 하면 저렇게 쉽게 할 수 있는 거니?"

"그건 연습이지. 공연에서 사용하는 기술이나 도구가 마션들에게는 가장 중요해. 그걸 누가 먼저 발견하고 노력해서 보여 주느냐가 중요하지."

"그렇구나. 마션도 하는 게 힘들겠다."

드리머는 공연만 하는 데도 힘들었는데, 먼저 발견을 하고 공연을 구성하며 보여 주어야 한다는 것에 부담이 클 것이라는 느낌을 받았다.

마션의 마지막 장면이 되었다. 그는 드리머가 생각했던 것처럼 구름을 모았다.

'역시… 이대로 다른 큰 모양을 만들고서 퇴장하는 거잖아?'

드리머는 생각한 대로 되고 있어서 흥분되었다.

마션이 구름을 모았지만, 구름으로 모양을 내지는 않고 위쪽으로 넓게 퍼뜨렸다.

"전하고 다른 거 같아… 인태, 저건 어떻게 마무리하려고 하는 거니?"

"저건 나도 처음 보는 거야. … 내가 아까 말했던 것 중에 처음 하는 게 중요하다는 거 있지? 아무래도 마션이 처음 보여 주는 것 같아."

"아아. 그게 이런 거구나. 아무에게도 보여 주지 않은 것을 보여 주는 거구나. 그러면 정말 아무도 모르겠다!"

드리머는 마션이 처음 보여 줄 공연이 무엇인지 궁금했다.

마션은 넓게 퍼뜨린 구름을 흐리게 만들었고 구름에서 비가 내리게 했다. 비는 그의 모습이 잘 보이지 않을 정도로 세차게 내렸다.

"비가 엄청 내리네! 저렇게 내리는 비는 꿈의 세계 말고 처음인 거 같아. 정말 멋지다… 마션은 비를 본 적이 있는 걸까?"

"음… 아마도 비를 본 적이 있겠지? 우리도 꿈의 세계에서라도 봤으니까."

드리머는 류인태와 비를 보았을 때는 무서워서 잘 몰랐는데, 비를 보면 마음이 울린다는 것을 느꼈다.

비는 쉴 새 없이 내렸고 마션의 모습은 점점 사라졌다.

"마션의 모습이 사라졌어!"

아이들이 모두 자리에서 일어나, 텔레비전에 집중했다.

덜컹. 마션이 대기실 문을 열고 들어왔다.

"어? 어…" 아이들은 아직도 무대에서 비가 내리고 있어서 공연이 끝나지 않은 줄 알았는데, 마션이 와서 놀랐다.

"모두 고생 많았구나." 마션이 들어와서 아이들에게 고생했다며 머리를 쓰다듬어 주었다. "이제 끝낼 준비를 하자구나." 그는 마무리를 하려고 급하게 도구를 정리했다.

아이들은 어떻게 된 것인지 보고 있는데, 비가 그치면서 막이 쳐졌다.

"와아아!" 관객들은 환호하며 박수를 쳤고 하나둘씩 자리에서 일어나 그곳에서 나갔다.

모든 관객들이 자리를 비워서 공연장은 텅텅 비었다.

마션은 아이들을 데리고 공연장을 청소했다. "버려진 쓰레기들은 봉투에 담고 물이나 뭔가가 흘린 게 있다면 나에게 알려 주면 된단다." 그는 아이들에게 구역을 정해 주고 청소를 했다.

드리머도 정해진 구역을 청소하는데, 주워야 하는 쓰레기나 흘린 물은 딱히 많지 않았다. "정말 깨끗하다." 그는 다른 구역은 어떤지 고개를 돌려서 확인했지만, 모두가 비슷한 상황이었다.

청소를 마치고 마션이 아이들을 불러 모았다.

"모두 정말 고생 많았다. 끝난 기념으로 너희에게 선물이 있단다." 마션이 손짓을 하더니 영상이 틀어졌는데, 그들의 공연을 찍

우리의 무대

은 영상이었다.

아이들은 관객들이 앉았던 자리에 앉아서 영상을 다 같이 보았고 마션도 그들의 옆에 앉아서 같이 보았다.

그들이 한 공연을 편하게 보는 아이들은 감탄하고 말하면서 마무리를 즐겼다.

영상을 보는 드리머가 그동안 힘들게 연습했던 공연을 떠올렸더니 가슴이 먹먹해져서 눈물이 나왔다.

마션은 드리머의 우는 모습에 조용히 하얀 꽃을 주었고 다시 영상을 보았다.

드리머가 무릎에 놓인 하얀 꽃을 보는데, 그의 마음을 위로해 주는 것 같았다.

영상이 끝나고 아이들은 기지개를 펴면서 개운하다는 듯이 자리에서 일어났다.

"이제 집으로 가면 된단다. 이번 공연을 통해서 많은 것들을 깨달았으면 좋겠구나."

마션의 웃음과 함께 아이들은 디떠블유 센터로 왔다.

"으으…" 그들은 갑자기 디떠블유 센터로 와서 정신이 없었다.

"우리가 센터로 온 거지?"

"맞아. 마션이 우리를 돌려보낸 건가?"

"그러고 보니, 코치와 쿠신, 애요, 유험이 안 보였어!"

드리머의 말을 들은 아이들은 크게 웃었다.

웃던 류인태가 드리머에게 말했다.

"네가 못 본 걸 수도 있는데, 코치가 많이 도와줬어."

드리머는 류인태가 무슨 말을 하는지 이해가 되지 않았다. '내가 언제 그랬지?' 그는 코치가 도와줄 만한 상황이 있었는지 고민했다.

아인이 코치가 어땠는지 말을 해 주었다.

"코치는 내 눈에 보이지는 않았지만, 코치가 한 것처럼 보이는

우리의 무대

장면이 있었어. 네가 의도를 한 건지는 모르겠지만…"

"내 개인적인 생각으로는 실수를 의도한 건 아니라고 생각해. 실수를 일부러 했다기에는 너무 무모했던걸."

"그랬었나?" 코치의 도움은 공연이 생각나지 않는 드리머의 관심을 부르기에 충분했다. "내가 너무 공연에 집중해서 코치랑 대화를 많이 하지 못했네. 다음에 코치를 만나면 고맙다고 해야겠다." 그는 연습 때, 그를 도와주던 코치의 모습이 눈앞에서 아른거렸다.

"이제 집에 갈까?" 집으로 가려고 자리에서 일어난 아인이 문을 가리키며 물었다. "문은 닫혀 있는데, 나갈 수 있겠지?"

"부모님에게 연락하면 열어 줄 수는 있을 텐데, 집에 갔다가 온 적만 있어서 잘 모르겠네."

드리머도 아인과 나갔다가 온 적은 있었지만, 그의 집에 잠깐 들렀다가 온 것이어서 확실히는 몰랐다.

엘그프 1단계 때 집으로 갔었던 류인태가 자신 있게 말했다. "전에 내가 숙제를 끝내서 집으로 간 적이 있었어! 숙제를 다하면 집으로 자유롭게 갈 수 있었던 걸로 기억해. 대신… 한 번 나가면 다시 들어올 수 없는 걸로 알고 있어." 그는 아이들이 어떻게 할 건지 대답을 기다렸다.

아이들은 디떠블유 센터에서 딱히 할 게 없다고 판단해서 그곳에서 나가기로 했다.

"그러면 우리 집에서 노는 건 어떠니?"

드리머가 물었다.

류인태는 드리머와 같이 살고 있어서 딱히 영향이 없었지만, 아인과 복태현에게는 자유 시간이었기에 영향이 있었다.

"나는 시간이 될 것 같아. 태현은?"

아인이 복태현을 보며 물었다.

복태현도 괜찮을 것 같아서 가려다가 부모님의 가게가 생각났다. "아! 나는 부모님을 도와주려고… 무슨 일이 있으면 연락해 줄 수 있니?" 그의 아쉬움은 겉으로 드러났다.

"오늘만 같이 가고 내일부터 도와드리는 건 어떠니?"

아이들이 아쉬워하는 복태현을 설득하려 했다.

복태현은 마음이 걸렸지만, 하루쯤은 아이들과 있어도 될 것 같다고 생각했다. "그래. 그러면 조금만 놀다가 먼저 갈게." 그는 둘 다 해결할 수 있는 방법을 생각해 냈다.

드리머의 집으로 가면서 공연에 대해 말하다가 부모님들에게 보여 주는 것이 어떠냐는 의견이 나왔고 모두가 괜찮을 것 같다고 생각하며 찬성했다.

드리머의 집에 모인 아이들은 부모님들에게 어떻게 공연을 보여 줄지 의견을 내면서 두 가지로 추렸다. 한 가지 방법은 부모님들을 한곳에 모이게 한 뒤에 그들이 준비한 공연을 하는 것이고 다른 방법으로는 가족끼리 모일 수 있는 축제 때 공연을 보여 주는 것이었다.

아이들은 가족끼리 모일 수 있는 축제 때 공연을 보여 주고 싶었지만, 막상 생각해 보니 모든 가족들이 모일 수 있는 축제는 딱히 없었다.

"우리 모두가 모일 수 있는 축제는 겨울 축제밖에 없어. 그런데 인태네 부모님은 겨울 축제에 올 수 있을지 모르는데, 괜찮은 건가?"

"그러네. 인태네 부모님은 겨울 축제 때도 못 온다고 했으니까 겨울 축제 때 하기도 그러네."

류인태의 부모님도 즐길 수 있는 축제가 없는 것 같아서 류인태가 직접 말했다. "우리 부모님은 신경 쓰지 말고 모두가 모일 수 있는 축제 때 하는 게 좋을 것 같아." 그의 목소리는 떨리지 않았지만, 눈동자가 약간 떨렸다.

"음… 우선 모두가 모일 수 있게 하는 게 가장 좋은 거 같아. 인태네 부모님은 올 수 있다면 오는 걸로 하자."

우리의 무대

류인태를 지나칠 수 없었던 아인은 모두를 만족시키고 싶었지만, 그럴 수 없을 것 같아서 정리했다.

아이들은 그들이 모일 수 있는 시간을 정한 뒤에 그들이 했던 공연 중에 마션이 한 역할을 어떻게 할지 정해야 했다.

"마션이 없어서 마션이 했던 역할은 사라지게 될 거야. 만약에 우리가 꿈의 세계에서 했던 공연처럼 할 거라면 마션을 부르는 게 맞겠지만, 마션이 하지 않는다고 하면 어떻게 할래?"

"음… 우선 마션에게 가 보는 게 나을 것 같은데?"

류인태는 마션에게 먼저 물어보면 더 편하게 정할 수 있을 것 같다고 생각했다.

"그런데 마션은 어디에 있는지 알고 있니? 우리가 갔을 때는 마션이 있던 곳이었잖아."

마션이 어디에 살고 있고 어디에서 공연을 하는지 몰랐던 드리머와 류인태, 복태현은 아인의 물음에 조용해졌다.

"전에 내가 마션에게 연락처를 받았던 것 같은데…" 드리머는 목걸이에 저장해 놓은 연락처들을 확인했다. "여기 있다! 이게 마션에게 받았던 연락처였어."

"그러면 우선 연락을 보내고 우리끼리 계획을 세워 보자!"

드리머가 연락을 보내는 동안 아이들은 서로 담당했던 부분과 마션이 도와준 것들을 종이에 적어 보았고 연락을 마친 그도 그들이 적는 것을 기다리다가 마지막으로 종이에 적었다.

띠… 종이에 적은 것을 보면서 구상을 하는데 마션에게서 연락이 왔다. 그 연락이 좋은 것이기를 바랐지만, 그렇지 않았다.

"마션이 안 될 것 같다고 하네."

"어쩔 수 없지. 우리끼리 해 보자!"

구상을 마치고 복태현이 부모님 가게로 가려 해서 아인도 집으로 가기로 했다. "다들 연습 열심히 해야 해!" 그녀는 힘내자고 손짓을 하며 집으로 걸어갔다.

우리의 무대

부모님이 모이기로 한 토요일이 되었다.

드리머의 집에서 모이기로 해서 드리머와 류인태는 청소를 하며 준비를 마쳤고 아인은 만들어 온 음식들을 야외용 탁자 위에 올려 놓았다. 복태현은 그들이 대기하는 곳이 단단한지, 잘 가려지는지 확인했다.

복태현이 청소를 마치고 온 드리머와 류인태에게 말했다.

"이 정도면 될 거 같아!"

아이들은 준비를 모두 마친 것 같아서 도구들을 마지막으로 확인했고 부모님들을 기다렸다.

드리머와 아인은 류인태의 부모님이 올지 안 올지 걱정이 되었다. '이번에는 올 수 있을 거야.' 그들은 류인태의 부모님이 오기를 간절히 바랐다.

드리머의 부모님부터 복태현의 부모님이 드리머의 집 마당으로 모여서 아이들은 온 순서에 맞게 마당에 앉히며 공연 준비를 했다.

"이번에는 마션이 없지만, 우리는 충분히 잘할 수 있어!"

아인이 잘해 보자는 의미로 손을 내밀어서 나머지 아이들도 그녀의 손등 위로 손을 올렸고 힘내자며 손을 힘차게 위로 올렸다.

처음으로 류인태가 마션을 대신해서 시작하는 역할을 맡았다. 그곳에 천막이 없어서 그는 인사를 했고 최대한 천막을 사용하지 않아도 되는 공연 중에 부담이 가지 않는 것으로 시작을 했다.

"다음은 태현이니까, 내가 보다가 인태가 들어오는 걸 알려 줄게."

아인은 부모님들이 볼 수 없도록 조심스럽게 류인태가 공연하는 모습을 보았다.

드리머와 복태현은 살짝 바꾼 부분만 한 번 해 보고 의자에 앉아서 기다렸다.

우리의 무대

류인태가 대기실로 들어오고 있어서 아인이 복태현에게 갈 준비를 하라고 손짓했다. "잘했어! 다음 준비하자!" 그녀는 대기실로 온 그를 칭찬하면서 복태현이 가는 모습을 보았다.

"분위기는 어땠어?" 부모님들이 어땠는지 궁금한 드리머가 물었다. "부모님도 좋아하겠지?"

류인태는 자신 있게 고개를 끄덕였고 도구를 정리하고서 아인이 하던 역할을 했다. "태현이 끝나면 아인이니까, 먼저 준비하고 있어. 내가 보고 알려 줄게." 그가 복태현의 모습을 보다가 부모님들이 앉아 있는 곳이 꽉 찼다는 것을 보았다. '어? 부모님이 왔나 보네?' 그는 혹시 몰라서 연락을 했지만, 정말로 와서 눈물이 나올 것 같았다.

드리머까지 끝내고 류인태로 돌아왔다. 원래라면 마션이 구름을 만들어 주어야 하지만, 그가 없어서 되는대로 하기로 했다. '우리가 만든 구름이 있으니까, 이걸로 해 봐야겠다.' 그들이 만든 구름으로 그가 공연을 하려고 했는데, 마션이 만든 구름이 그의 앞으로 왔다. '이건 마션이 만든 건데?' 그는 놀랐지만, 부모님들이 알 수 없도록 했고 대기실에서 보고 있던 아인도 마션의 구름을 보고 환호했다.

"마션이 왔나 봐!" 아인이 바깥으로 소리가 들리지 않도록 외쳤다. "저기 있는 사람이 마션 아닐까?" 그녀는 벽 뒤로 살짝 보이는 마션의 모습을 가리켰다.

마션의 소식에 부리나케 아인 쪽으로 온 드리머와 복태현은 그녀가 가리킨 곳에 마션이 있어서 좋아했다. "마션이야! 역시 마션이 올 줄 알았어! 정말 고마운걸!"

마션은 벽 뒤에서 구름을 조종하면서 아이들을 보고 환하게 웃었다.

<끝>

159

드리머의 느낀 점

꿈의 세계로 온 나와 친구들은 어떤 꿈으로 가야 할지 정해야 해서 길을 걸으며 돌아다니기로 했다.

길을 다니며 여러 사람들을 보다가 특이하고 신기한 사람을 발견해서 인태가 가자고 했다.

처음으로 간 곳은 평범해 보이는 방이었고 갑자기 이상한 것들이 우리에게 날아와서 나가려고 문으로 갔지만, 우리가 다가가는 순간 굳게 닫혀서 나가지 못했다.

몇 시간이 걸려서 수상한 곳의 출구로 보이는 곳에 거의 다 도착해서 마션과 만났고 우리를 안전한 방으로 안내해 주었다.

마션은 우리들에게 작은 기술과 공연을 보여 주었고 우리에게 작은 구름 상자를 주며 문제를 풀어 보라고 했다.

구름 상자의 문제를 다 풀고 나서 마션은 같이 공연을 할 거라고 하면서 각자 연습할 수 있는 방을 주었다.

방을 얻은 것은 좋았지만, 공연 주제로 무엇을 해야 할지 정하지 않아서 곤란했다.

주제를 생각하면서 이것저것 만들어 보고 해 보면서 일상을 주제로 한 것으로 정했고 아름다운 빈 책과 여러 도구를 만들었다.

연습을 하는데, 마션이 시험을 본다고 했다. 아직 완전하게 연습을 마치지 못해서 긴장이 되었고 걱정이 되었다.

시험을 보는 날이 되고 예상한대로 시험을 망치게 되며 슬픔과 절망에 빠졌다.

친구들이 나를 위로해 주면서 모두가 떨어졌다는 사실을 말해 주어서 놀랐고 여름 시기가 되었다.

여름 시기에 어르신 부부의 집으로 놀러 갔다가 마션의 공연을 보는데, 마션이 사람들이 많이 보고 있는 공연으로 불러서 작은 공연을 하게 되었고 그로 인하여 용기를 얻게 되어서 이제 필요한 것은 부족한 공연을 마무리시키는 것이었다.

할아버지와 함께 시계를 만들고 친구들과 함께 고민하며 공연을 완성시켰고 공연할 때 입을 옷도 구매했다.

새로운 옷을 입고 마션의 시험을 봤는데 통과했고 모두가 참여하는 공연을 위해 구상하며 새로운 기술을 익혔다.

공연을 무사히 끝낸 우리들은 아쉬움에 부모님들에게 보여 주려고 파티를 계획했다.

마션이 못 온다고 해서 아쉬워하며 공연을 진행하는데, 마션의 구름이 필요한 순간에 구름이 생겨서 놀란 우리들은 그가 어디에 있는지 확인하다가 벽에 숨은 그를 보며 환호했다.